U0136798

中國美術全集

中國美術全集

卷軸畫四

全國百佳圖书出版單位
ARTTIME 時代出版
時代出版傳媒股份有限公司
黄山書社

目　　録

明 (公元一三六八年至公元一六四四年)

頁碼	名稱	時代	作者	來源	收藏地
890	仙山樓閣圖	明	仇英		臺北故宫博物院
891	柳下眠琴圖	明	仇英		上海博物館
891	蕉陰結夏圖	明	仇英		臺北故宫博物院
892	職貢圖	明	仇英		故宫博物院
894	蘭花圖	明	周天球		故宫博物院
894	喬柯翠林圖	明	陸師道		上海博物館
895	携卷對山圖	明	陸師道		臺北故宫博物院
895	五月蓮花圖	明	徐渭		上海博物館
896	花卉十六種圖	明	徐渭		故宫博物院
898	雜畫	明	徐渭		上海博物館
900	牡丹蕉石圖	明	徐渭		上海博物館
900	花竹圖	明	徐渭		臺北故宫博物院
901	墨葡萄圖	明	徐渭		故宫博物院
902	雪居圖	明	宋旭		吉林省博物院
902	達摩面壁圖	明	宋旭		遼寧省旅順博物館
903	山水圖	明	宋旭		上海博物館
903	萬松小築圖	明	居節		上海博物館
904	梵林圖	明	項元汴		南京博物院
906	雙樹樓閣圖	明	項元汴		上海博物館
906	玉堂芝蘭圖	明	孫克弘		故宫博物院
907	菊石文篁圖	明	孫克弘		上海博物館
907	朱竹圖	明	孫克弘		臺北故宫博物院
908	花卉圖	明	孫克弘		首都博物館
910	花鳥圖	明	孫克弘		上海博物館
910	桃花圖	明	孫克弘		上海博物館
911	西湖紀勝圖	明	孫枝		浙江省寧波市天一閣博物館
912	水仙梅雀圖	明	陳嘉言		江蘇省蘇州博物館
912	松鵲雙兔圖	明	陳嘉言		上海博物館
913	杏花錦鷄圖	明	周之冕		江蘇省蘇州博物館
913	葡萄松鼠圖	明	周之冕		臺北故宫博物院
914	花卉圖	明	周之冕		上海博物館
916	百花圖	明	周之冕		故宫博物院
918	梅花圖	明	劉世儒		故宫博物院
918	山水圖	明	張復		山東省烟臺市博物館

頁碼	名稱	時代	作者	來源	收藏地
919	釋迦牟尼圖	明	丁雲鵬		天津博物館
919	掃象圖	明	丁雲鵬		臺北故宮博物院
920	羅漢圖	明	丁雲鵬		上海博物館
922	煮茶圖	明	丁雲鵬		江蘇省無錫市博物館
922	松巔函虚圖	明	丁雲鵬		臺北故宮博物院
923	竹林漫步圖	明	丁雲鵬		故宫博物院
923	蘭石圖	明	馬守真		故宫博物院
924	仙山樓閣圖	明	李士達		南京博物院
924	三駝圖	明	李士達		故宫博物院
925	人物山水圖	明	尤求		上海博物館
926	漢宫春曉圖	明	尤求		上海博物館
928	岩居圖	明	董其昌		江蘇省無錫市博物館
929	峰巒渾厚圖	明	董其昌		遼寧省博物館
930	秋興八景圖	明	董其昌		上海博物館
932	仿古山水圖	明	董其昌		故宫博物院
934	贈稼軒山水圖	明	董其昌		故宫博物院
934	北山荷鋤圖	明	董其昌		上海博物館
935	燕吴八景圖	明	董其昌		上海博物館
936	晝錦堂圖	明	董其昌		吉林省博物院
937	細瑣宋法山水圖	明	董其昌		上海博物館
938	葑涇訪古圖	明	董其昌		臺北故宮博物院
938	林和靖詩意圖	明	董其昌		故宫博物院
939	山水圖	明	趙左		故宫博物院
940	華山圖	明	趙左		遼寧省博物館
940	秋山紅樹圖	明	趙左		臺北故宮博物院
941	雲山幽趣圖	明	陳繼儒		遼寧省博物館
941	紅梅緑竹圖	明	陳繼儒		湖北省博物館
942	山蔭道上圖	明	吴彬		上海博物館
946	千岩萬壑圖	明	吴彬		故宫博物院
946	仙山高士圖	明	吴彬		故宫博物院
947	普賢圖	明	吴彬		故宫博物院
948	湖山晚晴圖	明	吴振		首都博物館
950	幽谷鹿來圖	明	陳祼		首都博物館
950	絶壑秋林圖	明	項德新		上海博物館

頁碼	名稱	時代	作者	來源	收藏地
951	仿王孟端竹石圖	明	項德新		首都博物館
951	吹簫仕女圖	明	薛素素		南京博物院
952	桐下高吟圖	明	程嘉燧		上海博物館
952	秋溪叠嶂圖	明	程嘉燧		臺北故宮博物院
953	松谷庵圖	明	程嘉燧		上海博物館
953	樂游原圖	明	程嘉燧		上海博物館
954	千岩競秀圖	明	魏之璜		上海博物館
956	王時敏像	明	曾鯨		天津博物館
957	顧夢游像	明	曾鯨 張翽		南京博物院
957	竹石菊花圖	明	米萬鍾		故宮博物院
958	雨過岩泉圖	明	米萬鍾		上海博物館
958	林溪觀泉圖	明	陳焕		故宮博物院
959	書畫合璧圖	明	張瑞圖		故宮博物院
960	漁家圖	明	崔子忠		故宮博物院
960	長白仙踪圖	明	崔子忠		上海博物館
961	藏雲圖	明	崔子忠		故宮博物院
962	雲中玉女圖	明	崔子忠		上海博物館
962	雲林洗桐圖	明	崔子忠		臺北故宮博物院
963	秋林聽泉圖	明	關思		臺北故宮博物院
963	山水圖	明	關思		浙江省博物館
964	松林草堂圖	明	沈士充		上海博物館
966	山烟春晚圖	明	沈士充		上海文物商店
966	武夷山圖	明	胡宗仁		南京博物院
967	吴中十景圖	明	李流芳		上海博物館
968	爲士遠作山水圖	明	李流芳		故宮博物院
970	秋江圖	明	卞文瑜		北京市文物商店
972	山水圖	明	卞文瑜		南京博物院
973	山樓對雨圖	明	宋珏		故宮博物院
973	青緑山水圖	明	張宏		上海博物館
974	延陵挂劍圖	明	張宏		故宮博物院
974	泰山松圖	明	盛茂燁		上海博物館
975	白鷴圖	明	王維烈		故宮博物院
975	松鷹飛禽圖	明	王偕		南京博物院
976	水閣延秋圖	明	藍瑛		上海博物館

頁碼	名稱	時代	作者	來源	收藏地
976	櫻桃小鳥圖	明	藍瑛		故宫博物院
977	仿李唐山水圖	明	藍瑛		上海博物館
978	澄觀圖	明	藍瑛		故宫博物院
980	桃源春靄圖	明	藍瑛		山東省青島市博物館
980	白雲紅樹圖	明	藍瑛		故宫博物院
981	雲壑藏漁圖	明	藍瑛		故宫博物院
981	仿燕文貴秋壑尋詩圖	明	藍瑛		故宫博物院
982	仿趙仲穆山水圖	明	藍瑛		山東省濟南市博物館
982	華岳高秋圖	明	藍瑛		上海博物館
983	鬥酒聽鸝圖	明	張翀		南京博物院
983	瑶池仙劇圖	明	張翀		故宫博物院
984	仿古山水圖	明	惲向		中國國家博物館
985	秋林平遠圖	明	惲向		上海博物館
985	青山綺皓圖	明	惲向		上海博物館
986	白雪高風圖	明	江必名		江蘇省蘇州博物館
986	高松遠澗圖	明	邵彌		上海博物館
987	積書岩圖	明	邵彌		江蘇省無錫市博物館
987	蓮華大士像	明	邵彌		臺北故宫博物院
988	山水人物圖	明	邵彌		上海博物館
990	雜畫	明	邵彌		故宫博物院
991	峻壁飛泉圖	明	蔣靄		廣東省廣州美術館
991	山水圖	明	倪元璐		上海博物館
992	山水花卉圖	明	倪元璐		上海博物館
993	雁蕩八景圖	明	楊文驄		南京博物院
994	别一山川圖	明	楊文驄		上海博物館
994	高逸圖	明	楊文驄		北京市文物局
995	山水圖	明	項聖謨		上海博物館
996	楚澤流芳圖	明	項聖謨		故宫博物院
998	花卉圖	明	項聖謨		遼寧省博物館
1000	山水圖	明	項聖謨		上海博物館
1001	大樹風號圖	明	項聖謨		故宫博物院
1002	蕉林酌酒圖	明	陳洪綬		天津博物館
1003	二老行吟圖	明	陳洪綬		清華大學美術學院
1003	蓮石圖	明	陳洪綬		上海博物館

頁碼	名稱	時代	作者	來源	收藏地
1004	荷花鴛鴦圖	明	陳洪綬		故宮博物院
1004	花蝶寫生圖	明	陳洪綬		臺北故宮博物院
1005	喬松仙壽圖	明	陳洪綬		臺北故宮博物院
1006	隱居十六觀圖	明	陳洪綬		臺北故宮博物院
1008	雅集圖	明	陳洪綬		上海博物館
1008	梅石蛺蝶圖	明	陳洪綬		故宮博物院
1010	雜畫	明	陳洪綬		故宮博物院
1012	梅花山鳥圖	明	陳洪綬		臺北故宮博物院
1012	斜倚熏籠圖	明	陳洪綬		上海博物館
1013	山水人物圖	明	陳洪綬		故宮博物院
1013	雪景山水圖	明	佚名		山西博物院
1014	江山無盡圖	明	佚名		遼寧省博物館
1016	玉陽洞天圖	明	佚名		天津博物館
1018	青綠山水圖	明	佚名		上海人民美術出版社
1018	七星古檜圖	明	佚名		臺北故宮博物院
1019	携琴訪友圖	明	佚名		北京畫院
1019	山樓風雨圖	明	佚名		上海博物館
1020	黄鶴樓圖	明	佚名		上海博物館
1020	明成祖像	明	佚名		臺北故宮博物院
1021	人物像	明	佚名		南京博物院
1022	出警圖	明	佚名		臺北故宮博物院
1024	歲寒禽趣圖	明	佚名		上海博物館
1024	荷塘聚禽圖	明	佚名		四川博物院
1025	秋林聚禽圖	明	佚名		四川博物院
1026	龍王拜觀音圖	明	佚名		南京博物院
1027	羅漢圖	明	佚名		山西博物院
1027	天神圖	明	佚名		山西博物院
1028	時輪曼荼羅	明	佚名		西藏自治區拉薩市布達拉宫

清 (公元一六四四年至公元一九一一年)

頁碼	名稱	時代	作者	來源	收藏地
1029	山水圖	清	王鐸		遼寧省博物館
1030	山水圖	清	王時敏		上海博物館
1030	荅菊圖	清	王時敏		南京博物院
1031	仙山樓閣圖	清	王時敏		故宮博物院
1032	杜甫詩意圖	清	王時敏		故宮博物院
1033	仿黄公望浮巒暖翠圖	清	王時敏		臺北故宮博物院
1033	仿黄公望山水圖	清	王時敏		臺北故宮博物院
1034	南山積翠圖	清	王時敏		遼寧省博物館
1034	高士圖	清	普荷		雲南省博物館
1035	山水圖	清	普荷		四川博物院
1036	山水圖	清	劉度		上海博物館
1037	山水圖	清	劉度		臺北故宮博物院
1038	白雲紅樹圖	清	劉度		山東省博物館
1038	山水圖	清	鄒之麟		天津博物館
1039	山水圖	清	鄒之麟		上海博物館
1039	北固烟柳圖	清	張風		故宮博物院
1040	願從赤松子游圖	清	張風		江蘇省泰州市博物館
1040	觀瀑圖	清	張風		上海博物館
1041	深山高遠圖	清	周復		南京博物院
1041	秋山策杖圖	清	祁豸佳		上海博物館
1042	石磴攤書圖	清	蕭雲從		北京榮寶齋
1042	百尺明霞圖	清	蕭雲從		上海博物館
1043	山水圖	清	蕭雲從		上海博物館
1044	陋室銘圖	清	黄應諶		臺北故宮博物院
1045	仿宋元山水圖	清	王鑑		上海博物館
1046	青緑山水圖	清	王鑑		故宮博物院
1048	仿三趙山水圖	清	王鑑		上海博物館
1048	溪山無盡圖	清	王鑑		上海博物館
1049	仿王蒙秋山圖	清	王鑑		臺北故宮博物院

頁碼	名稱	時代	作者	來源	收藏地
1049	長松仙館圖	清	王鑑		故宮博物院
1050	仿巨然山水圖	清	王鑑		故宮博物院
1051	仿李成溪山雪霽圖	清	王鑑		故宮博物院
1051	山水圖	清	程正揆		故宮博物院
1052	江山卧游圖	清	程正揆		故宮博物院
1054	山水圖	清	程正揆		上海博物館
1055	漁家圖	清	謝彬		上海博物館
1055	群峰圖	清	程邃		上海博物館
1056	山水圖	清	程邃		安徽省歙縣博物館
1057	丘壑磊砢圖	清	傅山		天津博物館
1058	天泉舞柏圖	清	傅山		山西省太原市博物館
1058	靈芝蘭石圖	清	傅山		江蘇省南京市博物館
1059	奚官放馬圖	清	張穆		故宮博物院
1059	梅花書屋圖	清	藍孟		浙江省博物館
1060	仿古山水圖	清	藍孟		上海博物館
1061	秋林逸居圖	清	藍孟		遼寧省旅順博物館
1061	仿巨然山水圖	清	張學曾		上海博物館
1062	崇阿茂樹圖	清	張學曾		故宮博物院
1062	仿米山水圖	清	戴明説		安徽省博物館
1063	墨竹圖	清	戴明説		故宮博物院
1063	山水圖	清	吴偉業		故宮博物院
1064	南湖春雨圖	清	吴偉業		上海博物館
1064	劍門圖	清	黄向堅		吉林省博物院
1065	尋親圖	清	黄向堅		故宮博物院
1066	竹石風泉圖	清	弘仁		天津博物館
1066	古槎短荻圖	清	弘仁		故宮博物院
1067	黄山圖	清	弘仁		江西省婺源縣博物館
1067	松壑清泉圖	清	弘仁		廣東省博物館
1068	黄海松石圖	清	弘仁		上海博物館
1069	九溪峰壑圖	清	弘仁		上海博物館
1069	松石圖	清	汪之瑞		上海博物館
1070	山水圖	清	汪之瑞		故宮博物院
1070	疏樹古亭圖	清	方以智		安徽省博物館
1071	樹下騎驢圖	清	方以智		故宮博物院

頁碼	名稱	時代	作者	來源	收藏地
1071	山水圖	清	髡殘		瀋陽故宮博物院
1072	茂林秋樹圖	清	髡殘		臺北故宮博物院
1074	蒼山結茅圖	清	髡殘		上海博物館
1074	江上垂釣圖	清	髡殘		山東省烟臺市博物館
1075	蒼翠凌天圖	清	髡殘		南京博物院
1076	層岩叠壑圖	清	髡殘		故宮博物院
1076	雲洞流泉圖	清	髡殘		故宮博物院
1077	松岩樓閣圖	清	髡殘		南京博物院
1077	墨竹圖	清	歸莊		上海博物館
1078	竹石圖	清	歸莊		天津博物館
1078	秋山亭子圖	清	法若真		首都博物館
1079	松泉山閣圖	清	法若真		遼寧省博物館
1079	層巒叠嶂圖	清	法若真		山東省博物館
1080	樹梢飛泉圖	清	法若真		上海博物館
1081	五苗圖	清	方亨咸		上海博物館
1081	岩壑幽栖圖	清	方亨咸		故宮博物院
1082	八景圖	清	章谷		廣東省廣州美術館
1083	錦城春色圖	清	章谷		首都博物館
1083	雲容水影圖	清	查士標		天津博物館
1084	林亭春曉圖	清	查士標		山西博物院
1084	山水圖	清	查士標		遼寧省博物館
1085	空山結屋圖	清	查士標		故宮博物院
1085	秋山聽瀑圖	清	樊圻		遼寧省旅順博物館
1086	柳溪漁樂圖	清	樊圻		故宮博物院
1088	山水圖	清	樊圻		上海博物館
1089	桃源圖	清	樊圻		遼寧省博物館
1089	堂上祝壽圖	清	樊圻		山東省青島市博物館
1090	墨竹圖	清	諸昇		故宮博物院
1090	墨竹圖	清	諸昇		江蘇省泰州市博物館
1091	松林書屋圖	清	龔賢		遼寧省旅順博物館
1092	溪山無盡圖	清	龔賢		故宮博物院
1096	攝山栖霞圖	清	龔賢		故宮博物院
1096	山水圖	清	龔賢		故宮博物院
1098	山家黄葉圖	清	龔賢		遼寧省旅順博物館

頁碼	名稱	時代	作者	來源	收藏地
1098	湖濱草閣圖	清	龔賢		吉林省博物院
1099	木葉丹黄圖	清	龔賢		上海博物館
1099	山村秋色圖	清	鄒喆		首都博物館
1100	山閣談詩圖	清	鄒喆		故宫博物院
1101	江南山水圖	清	鄒喆		南京博物院
1102	燕子磯莫愁湖兩景圖	清	吴宏		故宫博物院
1104	山水圖	清	吴宏		上海博物館
1105	柘溪草堂圖	清	吴宏		南京博物院
1105	江城秋訪圖	清	吴宏		遼寧省旅順博物館
1106	山水圖	清	葉欣		廣東省廣州美術館
1107	山水圖	清	葉欣		遼寧省旅順博物館
1108	鐘山圖	清	葉欣		故宫博物院
1110	山水圖	清	胡慥		南京博物院
1110	山水圖	清	謝蓀		南京博物院
1111	荷花圖	清	謝蓀		故宫博物院
1112	青緑山水圖	清	謝蓀		故宫博物院
1112	萬山蒼翠圖	清	高岑		故宫博物院
1113	秋山萬木圖	清	高岑		南京博物院
1113	山居圖	清	高岑		私人處
1114	春景山水圖	清	高岑		山東省烟臺市博物館
1116	荷花圖	清	唐苂		上海博物館
1116	層巒叢林圖	清	吕潜		四川博物院
1117	山水圖	清	吕潜		上海博物館
1117	華山毛女洞圖	清	戴本孝		浙江省博物館
1118	黄山圖	清	戴本孝		廣東省博物館
1119	山谷迴廊圖	清	戴本孝		安徽省博物館
1119	烟波杳靄圖	清	戴本孝		江蘇省蘇州博物館
1120	華岳十二景圖	清	戴本孝		上海博物館
1122	仿宋元山水圖	清	徐枋		上海博物館
1123	仿北苑山水圖	清	徐枋		江蘇省蘇州博物館
1123	山水圖	清	徐枋		天津博物館
1124	山水圖	清	羅牧		瀋陽故宫博物院
1124	林壑蕭疏圖	清	羅牧		臺北故宫博物院
1125	枯木竹石圖	清	羅牧		江蘇省蘇州博物館

頁碼	名稱	時代	作者	來源	收藏地
1125	山居秋色圖	清	羅牧		江蘇省泰州市博物館
1126	峭壁勁松圖	清	梅清		首都博物館
1126	高山流水圖	清	梅清		故宮博物院
1127	黄山圖	清	梅清		故宮博物院
1127	白龍潭觀瀑圖	清	梅清		遼寧省旅順博物館
1128	黄山風景圖	清	梅清		安徽省博物館
1129	西海千峰圖	清	梅清		天津博物館
1129	天都峰圖	清	梅清		遼寧省博物館
1130	冬瓜芋頭圖	清	牛石慧		首都博物館
1130	富貴烟霞圖	清	牛石慧		天津博物館
1131	松石牡丹圖	清	朱耷		遼寧省旅順博物館
1132	枯木寒鴉圖	清	朱耷		故宮博物院
1132	松崗亭子圖	清	朱耷		首都博物館
1133	山水圖	清	朱耷		四川博物院
1133	秋山圖	清	朱耷		上海博物館
1134	河上花圖	清	朱耷		天津博物館
1136	荷花水鳥圖	清	朱耷		遼寧省旅順博物館
1136	荷花翠鳥圖	清	朱耷		上海博物館
1137	安晚帖	清	朱耷		日本京都泉屋博古館
1138	青緑山水圖	清	章聲		首都博物館
1138	行旅踏雪圖	清	章聲		浙江省博物館
1139	秋山行旅圖	清	章聲		首都博物館
1139	緑樹蒼山圖	清	傅眉		山西博物院
1140	山水圖	清	傅眉		天津博物館
1141	摹趙伯駒山水圖	清	吕焕成		山西博物院
1141	五岳萬仙圖	清	吕焕成		河北省博物館
1142	山水圖	清	吕焕成		浙江省博物館

朱約佶

明代畫家。號雲仙，又號九弄山人。工畫山水人物，畫風近似吳偉。

屈原圖

明
朱約佶
高153、寬78厘米。
絹本，設色。
現藏南京博物院。

王　問（公元1497－1576年）

明代畫家。無錫（今屬江蘇）人。字子裕。工書善畫，山水、人物、花鳥，皆精妙。

拾得像

明
王問
高117.8、寬54.4厘米。
紙本，水墨。
現藏臺北故宮博物院。

聯舟渡湖圖

明

王問

高24、寬117厘米。

絹本，水墨。

現藏南京博物院。

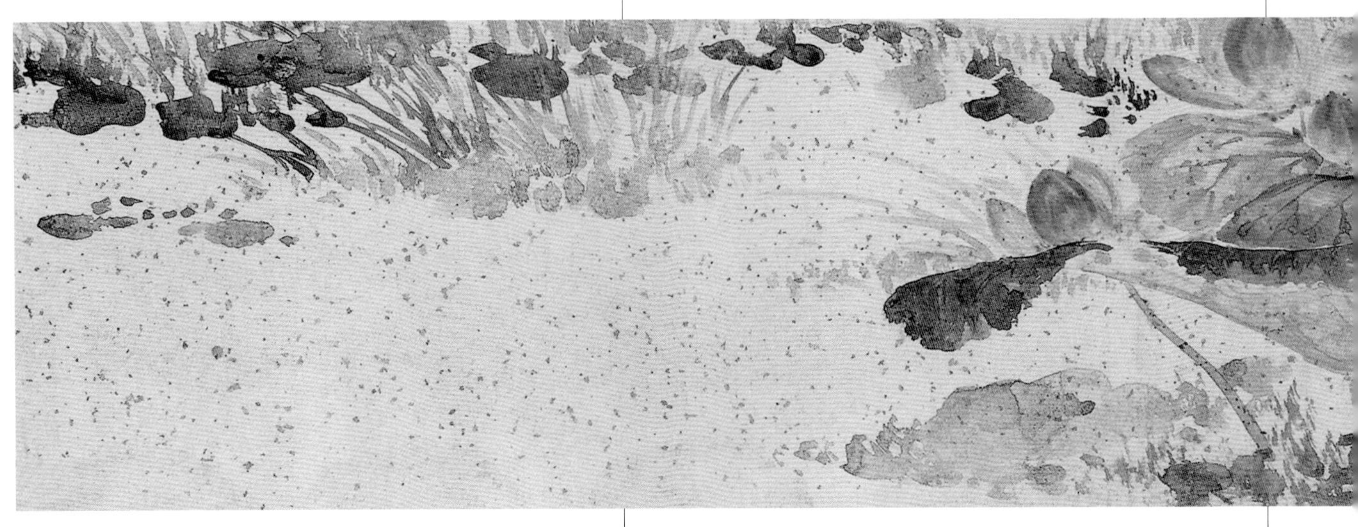

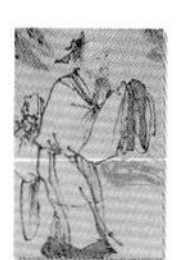

荷花圖（局部）

明
王問
全圖高26、寬908厘米。
灑金箋，設色。
現藏南京博物院。

王穀祥（公元1501－1568年）

明代畫家。長洲（今江蘇蘇州）人。字祿之，號酉室。嘉靖八年（公元1529年）進士。工書善畫，長于山水、花卉。

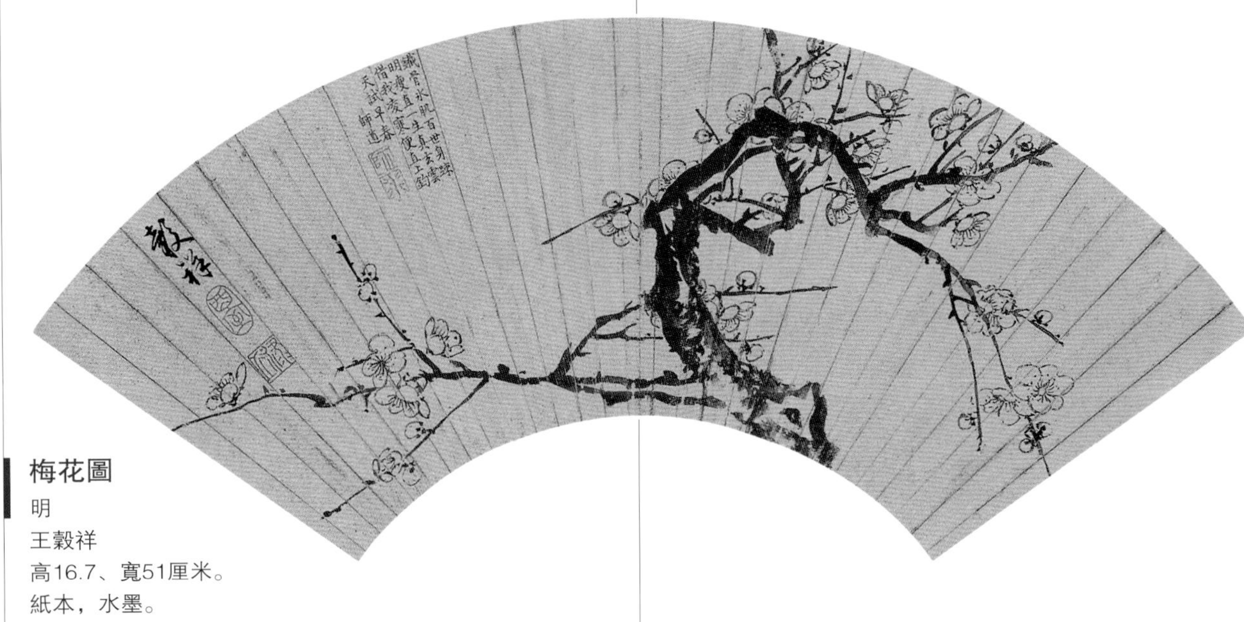

梅花圖

明

王穀祥

高16.7、寬51厘米。

紙本，水墨。

現藏上海博物館。

竹菊圖

明

王穀祥

高17、寬49.2厘米。

金箋，水墨。

現藏上海博物館。

松梅蘭石圖

明
王穀祥
高168、寬88厘米。
絹本，設色。
現藏故宫博物院。

瀛洲仙侣圖

明
文嘉
高70.6、寬25.7厘米。
紙本，設色。
現藏臺北故宫博物院。

文　嘉（公元1501－1583年）

明代畫家。長洲（今江蘇蘇州）人。字休承，號文水。文徵明次子。善畫山水，繼承家學而又有新意。

垂虹亭圖（上圖）

明

文嘉

高31.8、寬106.5厘米。

紙本，設色。

現藏江蘇省蘇州博物館。

山静日長圖

明

文嘉

高32、寬143厘米。

紙本，設色。

現藏山東省濟南市博物館。

江山蕭寺圖

明

文嘉

高59.1、寬31.2厘米。

紙本，水墨。

現藏上海博物館。

文伯仁（公元1502－1575年）

明代畫家。長洲（今江蘇蘇州）人。字德承，號五峰、葆生、攝山老農。文徵明之侄。善畫山水，師法王蒙又不失家法，亦畫人物。

秋岩觀瀑圖（右圖）

明

文伯仁

高342.7、寬97.6厘米。

紙本，水墨。

現藏上海博物館。

具區林屋圖

明
文伯仁
高166.8、寬57.6厘米。
紙本，設色。
現藏上海博物館。

萬壑松風圖

明
文伯仁
高104.7、寬25.8厘米。
紙本，設色。
現藏故宮博物院。

秋山游覽圖（局部）

明

文伯仁

全圖高27.9、寬280.3厘米。

紙本，設色。

現藏上海博物館。

石湖草堂圖

明

文伯仁

高25.8、寬142.4厘米。

紙本，設色。

現藏江蘇省蘇州博物館。

錢　穀（公元1508－?年）

明代畫家。長洲（今江蘇蘇州）人。字叔寶，號磬室。善畫山水，師從文徵明，亦善蘭竹。

定慧禪院圖

明

錢穀

高31.5、寬129.3厘米。

絹本，設色。

現藏故宮博物院。

溪山深秀圖（局部）

明
錢穀
全圖高18.9、寬359.8厘米。
紙本，水墨。
現藏上海博物館。

竹亭對棋圖

明

錢穀

高62.1、寬32.3厘米。

紙本，設色。

現藏遼寧省博物館。

晴空長松圖

明

錢穀

高271.6、寬100.3厘米。

紙本，設色。

現藏故宫博物院。

仇　英（約公元1509－1551年）

明代畫家。太倉（今屬江蘇）人，寓居蘇州。字實父，號十洲。初爲漆工，後師周臣學畫。擅長人物仕女畫，既工設色，又善水墨、白描，畫風工整細麗；畫山水喜設大青緑色，用筆蕭疏，意境簡遠。亦善臨摹古畫，幾可亂真。“吴門四家”之一。

松亭試泉圖

明

仇英

高128.1、寬61厘米。

絹本，設色。

現藏臺北故宫博物院。

桃源仙境圖

明

仇英

高175、寬66.7厘米。

絹本，設色。

現藏天津博物館。

琴書高隱圖
明
仇英
高18.5、寬55.5厘米。
金箋，設色。
現藏上海博物館。

蘭亭圖
明
仇英
高21.5、寬61.4厘米。
金箋，設色。
現藏故宫博物院。

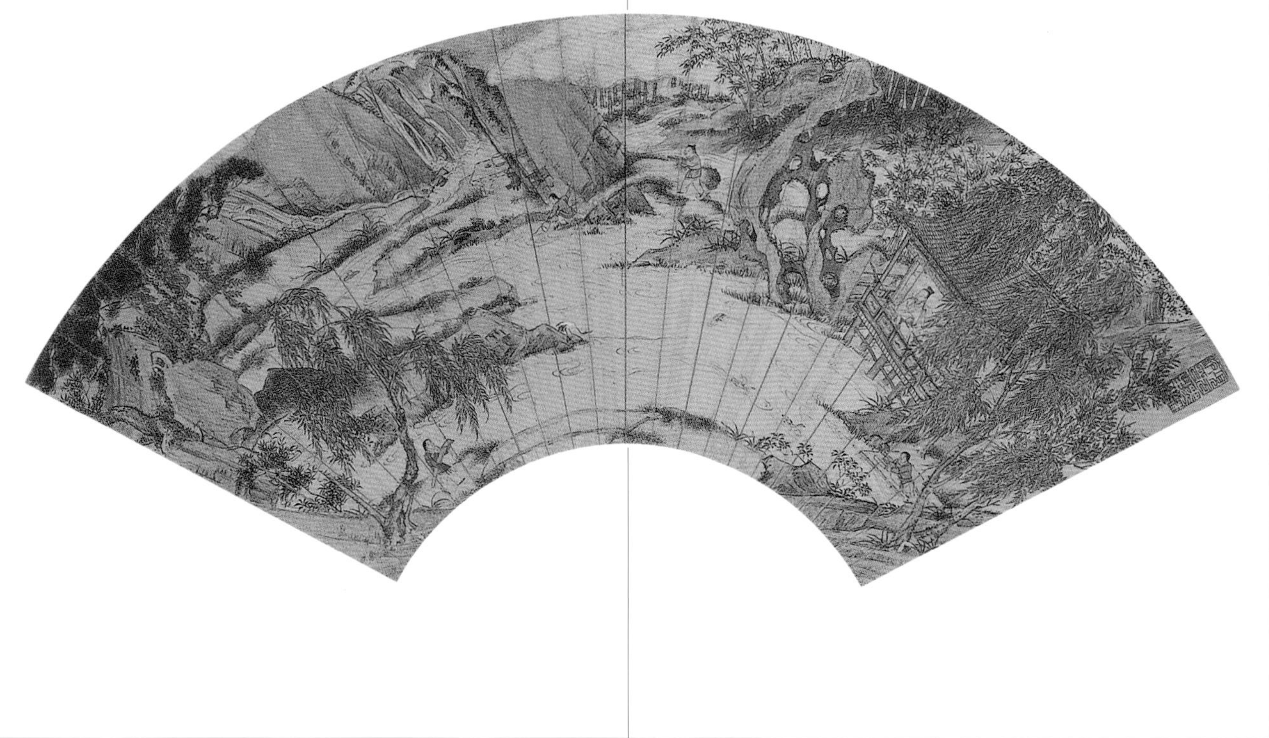

臨宋人畫（選二開）

明

仇英

高27.2、寬25.5厘米。

絹本，設色。共十五開。

現藏上海博物館。

臨宋人畫之一

臨宋人畫之二

歸汾圖

明

仇英

高26.7、寬123.7厘米。

絹本，設色。

現藏故宮博物院。

人物故事圖（選四開）

明

仇英

高41.2、寬33.8厘米。

絹本，設色。共十開。

現藏故宮博物院。

人物故事圖之一

人物故事圖之二

人物故事圖之三

人物故事圖之四

仙山樓閣圖

明

仇英

高110.5、寬42.1厘米。

紙本，設色。

現藏臺北故宫博物院。

水仙臘梅圖

明

仇英

高47.5、寬25厘米。

絹本，設色。

現藏臺北故宫博物院。

柳下眠琴圖

明

仇英

高176、寬90厘米。

紙本，水墨。

現藏上海博物館。

蕉陰結夏圖（右圖）

明

仇英

高279.1、寬99厘米。

紙本，水墨淡設色。

現藏臺北故宮博物院。

職貢圖

明

仇英

高29.8、寬580.2厘米。

絹本，設色。

現藏故宮博物院。

周天球（公元1514－1595年）

明代畫家。長洲（今江蘇蘇州）人。字公瑕，號幼海。善畫蘭草，宗趙孟頫。

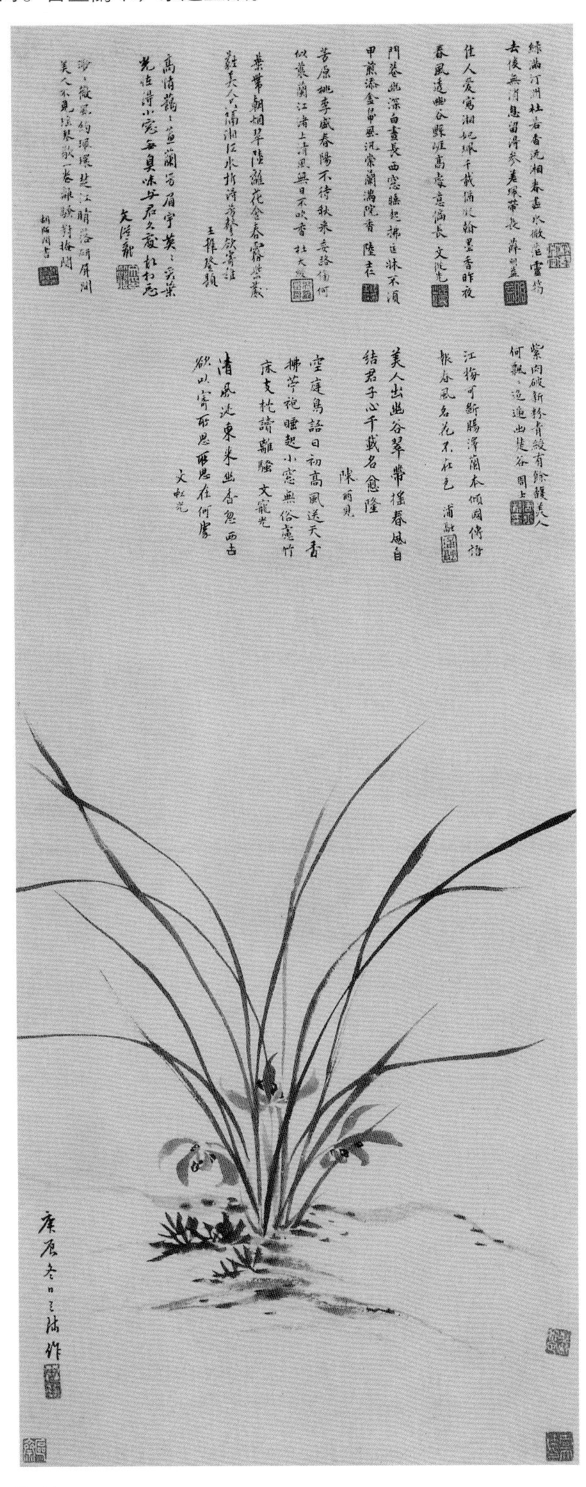

蘭花圖

明
周天球
高83、寬33.8厘米。
紙本，水墨。
現藏故宮博物院。

陸師道（公元1517－1580年）

明代畫家。長洲（今江蘇蘇州）人。字子傳，號元洲，更號五湖。善畫山水。

喬柯翠林圖

明
陸師道
高174.8、寬98.2厘米。
絹本，設色。
現藏上海博物館。

攜卷對山圖

明

陸師道

高108.3、寬41.6厘米。

紙本，設色。

現藏臺北故宮博物院。

徐　渭（公元1521－1593年）

明代畫家。山陰（今浙江紹興）人。初字文清，改字文長，號天池山人，晚號青藤道人、漱老人等。中年學畫，擅長畫水墨花卉，用筆放縱，用書法筆意入畫，別有風致。兼繪山水、人物，與陳道復并稱“青藤白陽”，開創的水墨寫意法對後世影響極大。

五月蓮花圖

明

徐渭

高129.3、寬51厘米。

紙本，水墨。

現藏上海博物館。

花卉十六種圖（選四幅）

明

徐渭

全圖高30、寬548厘米。

紙本，水墨。

現藏故宮博物院。

花卉十六種圖之一

花卉十六種圖之二

花卉十六種圖之三

花卉十六種圖之四

雜畫

明

徐渭

高28.5、寬859.1厘米。

紙本，水墨。

現藏上海博物館。

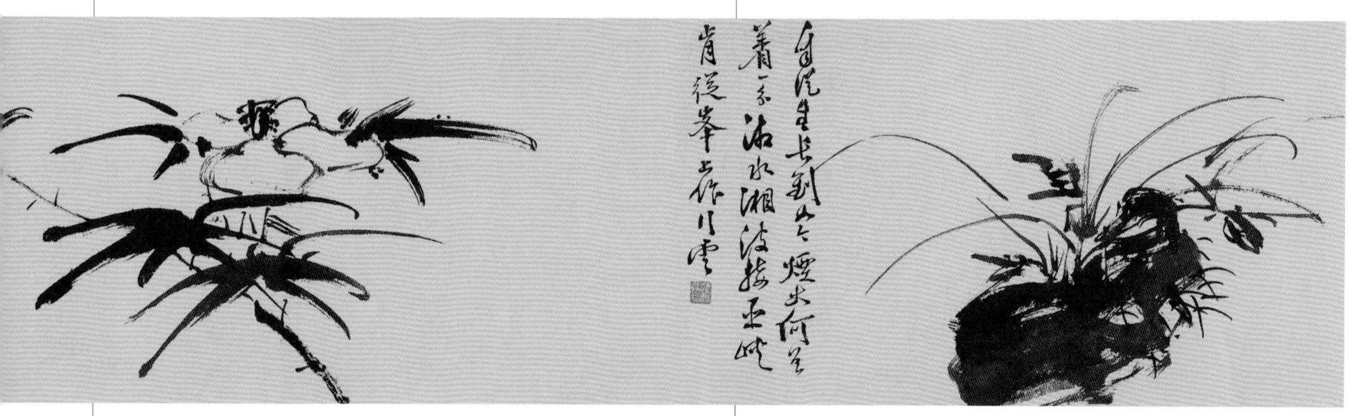

牡丹蕉石圖

明

徐渭

高120.6、寬58.4厘米。

紙本，水墨。

現藏上海博物館。

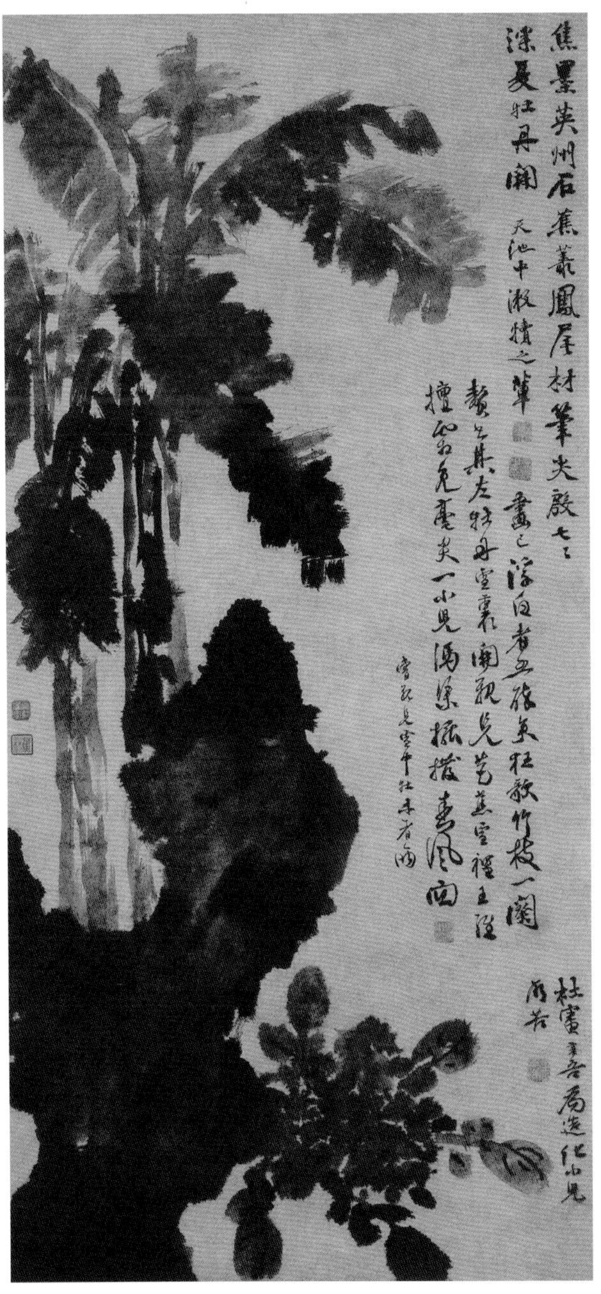

花竹圖（右圖）

明

徐渭

高337.6、寬103.5厘米。

紙本，水墨。

現藏臺北故宮博物院。

墨葡萄圖

明

徐渭

高166.3、寬64.5厘米。

紙本，水墨。

現藏故宫博物院。

宋　旭（公元1525－？年）

明代畫家。嘉興（今屬浙江）人。字初陽，號石門，後爲僧，法名祖玄，又號天池髮僧、景西居士。工書善畫，長于畫山水、人物，師沈周，頗有時名。

雪居圖

明
宋旭
高135、寬76.4厘米。
紙本，水墨淡設色。
現藏吉林省博物院。

達摩面壁圖（右圖）

明
宋旭
高121.4、寬32.2厘米。
紙本，設色。
現藏遼寧省旅順博物館。

山水圖

明

宋旭

高327.9、寬106.8厘米。

紙本，設色。

現藏上海博物館。

居　節（約公元1524－1585年）

明代畫家。吴縣（今江蘇蘇州）人。字士貞，號商谷。文徵明弟子，善畫山水。

萬松小築圖

明

居節

高216.5、寬129.5厘米。

紙本，設色。

現藏上海博物館。

項元汴（公元1525－1590年）

明代畫家、收藏家。嘉興（今屬浙江）人。字子京，號墨林居士。工書善畫，精于鑒賞，長于畫古木竹石。

梵林圖

明

項元汴

高25.8、寬86厘米。

紙本，設色。

現藏南京博物院。

雙樹樓閣圖

明

項元汴

高76.6、寬33.6厘米。

紙本，水墨。

現藏上海博物館。

孫克弘（公元1533－1611年）

明代畫家。華亭（今上海松江）人。字允執，號雪居。善畫花鳥、竹石，畫折枝花鳥頗負盛名。亦畫山水、人物。

玉堂芝蘭圖

明

孫克弘

高135.8、寬59厘米。

紙本，設色。

現藏故宮博物院。

菊石文篁圖

明

孫克弘

高128.1、寬49.7厘米。

紙本，水墨。

現藏上海博物館。

朱竹圖

明

孫克弘

高61.7、寬29.9厘米。

紙本，設色。

現藏臺北故宮博物院。

花卉圖

明

孫克弘

高20.5、寬318.5厘米。

紙本，設色。

現藏首都博物館。

花鳥圖（選一開）

明

孫克弘

高32、寬62.1厘米。

紙本，設色。共十二開。

現藏上海博物館。

桃花圖

明

孫克弘

高18.4、寬55.7厘米。

金箋，設色。

現藏上海博物館。

孫　枝

明代畫家。蘇州（今屬江蘇）人。字叔達，號華林。工書善畫，長于山水，師法文徵明。

西湖紀勝圖（選二開）

明
孫枝
高33、寬39厘米。
絹本，設色。共十四開。
現藏浙江省寧波市天一閣博物館。

西湖紀勝圖之一

西湖紀勝圖之二

陳嘉言（公元1539－?年）

明代畫家。嘉興（今屬浙江）人。字孔彰。工書善畫，擅長寫意花鳥。

水仙梅雀圖

明

陳嘉言

高122.5、寬59.6厘米。

紙本，水墨。

現藏江蘇省蘇州博物館。

松鵲雙兔圖

明

陳嘉言

高167、寬42.6厘米。

紙本，設色。

現藏上海博物館。

周之冕（公元? – 約1599年）

明代畫家。長洲（今江蘇蘇州）人。字服卿，號少谷。擅長寫意花卉，設色鮮雅，創鈎花點葉畫法。

杏花錦鷄圖

明

周之冕

高157.8、寬83.4厘米。

絹本，設色。

現藏江蘇省蘇州博物館。

葡萄松鼠圖

明

周之冕

高109.5、寬36.8厘米。

絹本，設色。

現藏臺北故宫博物院。

花卉圖（局部）

明

周之冕

全圖高27.7、寬1078.9厘米。

紙本，設色。

現藏上海博物館。

花卉圖局部之一

花卉圖局部之二

花卉圖局部之三

百花圖（局部）

明

周之冕

全圖高31.6、寬703.2厘米。

紙本，水墨。

現藏故宮博物院。

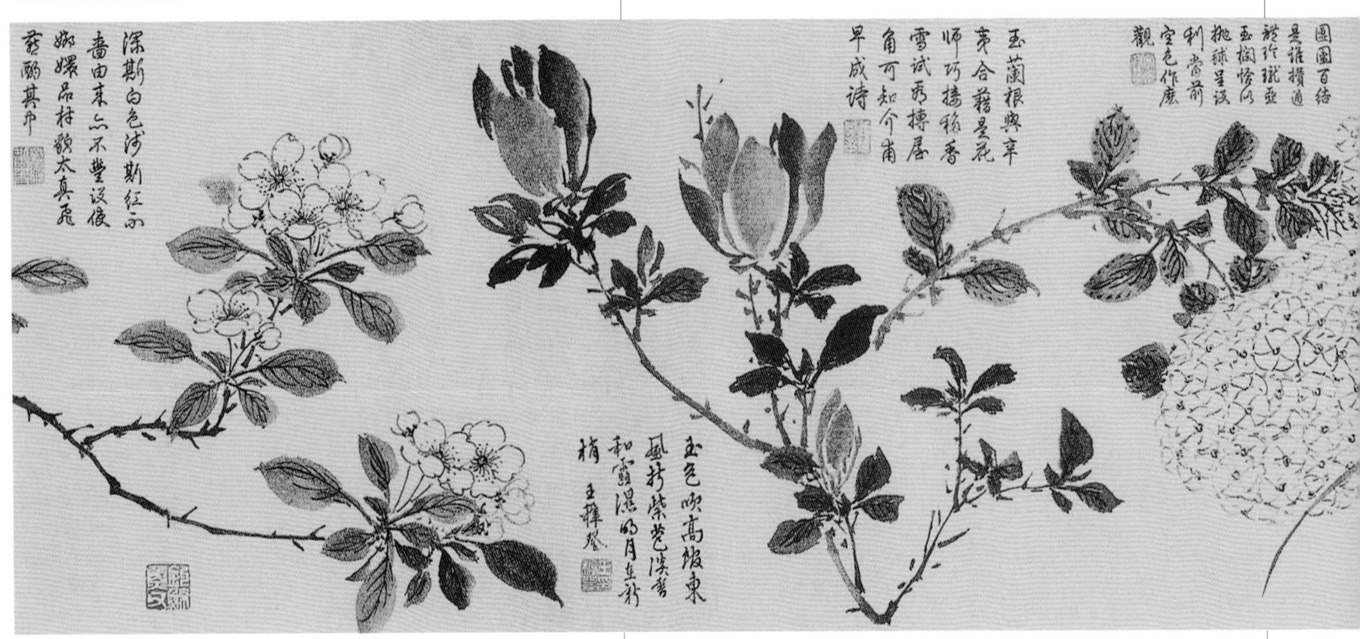

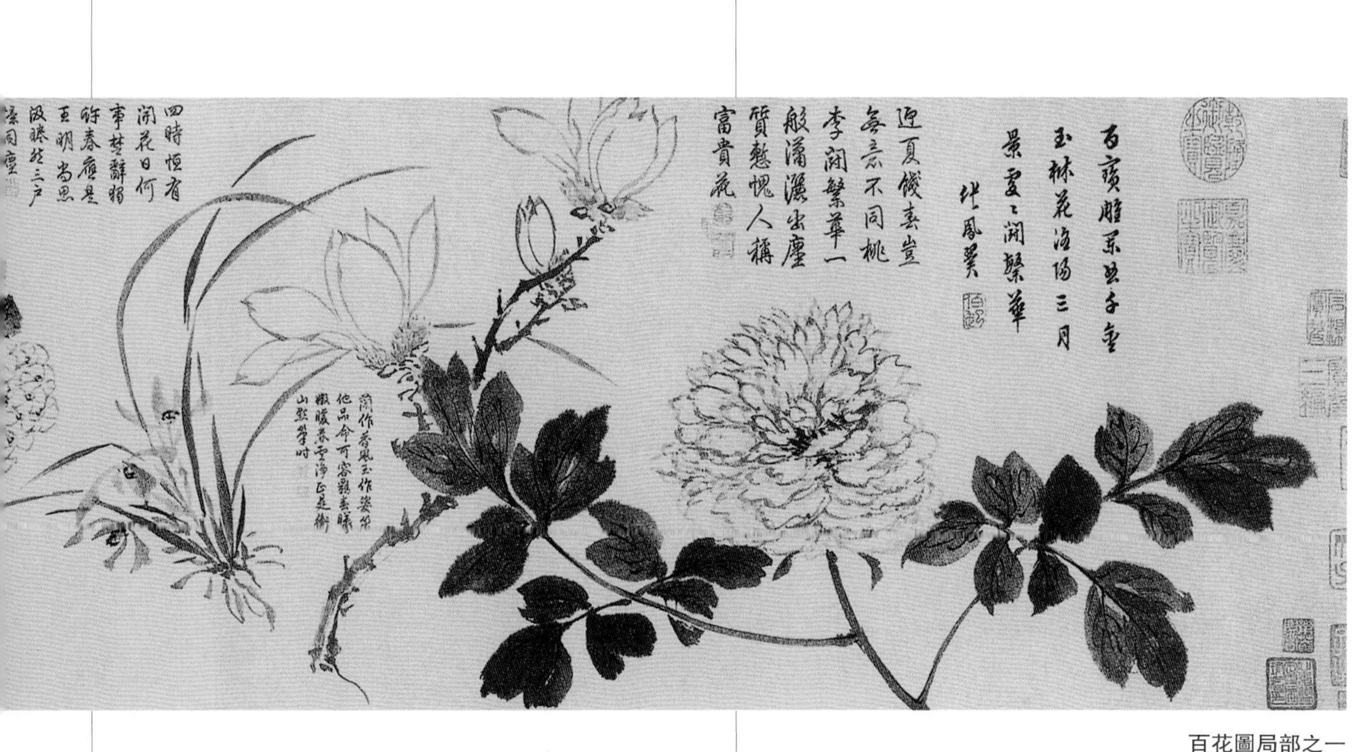

百花圖局部之一

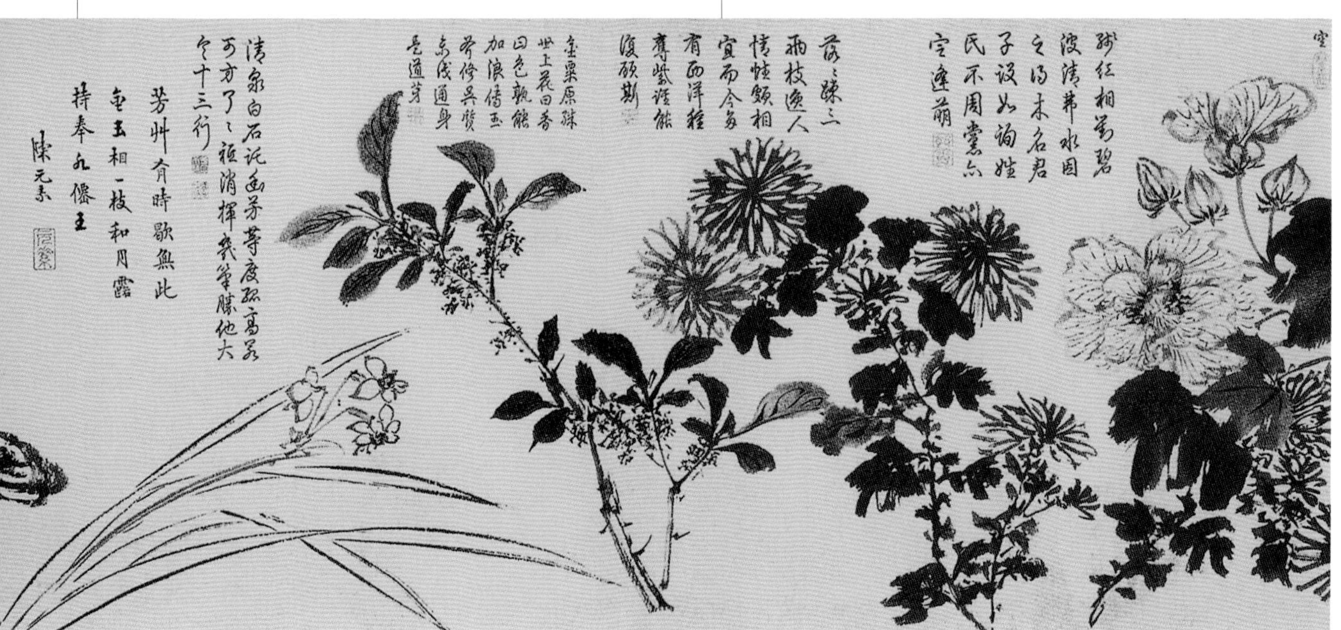

百花圖局部之二

劉世儒

明代畫家。山陰（今浙江紹興）人。字繼相，號雪湖。善畫梅，宗法王冕。

梅花圖

明

劉世儒

高182.5、寬101.3厘米。

絹本，水墨。

現藏故宫博物院。

張　復（公元1546－約1631年）

明代畫家。太倉（今屬江蘇）人，一作無錫（今屬江蘇）人。字元春，號苓石。善畫山水。

山水圖

明

張復

高161.5、寬89.5厘米。

絹本，設色。

現藏山東省烟臺市博物館。

丁雲鵬（公元1547－1628年）

明代畫家。休寧（今屬安徽）人。字南羽，號金華居士。宮廷畫家。工畫人物、佛像，白描學李公麟，亦善畫山水。

釋迦牟尼圖

明

丁雲鵬

高140.7、寬58厘米。

紙本，設色。

現藏天津博物館。

掃象圖

明

丁雲鵬

高140.8、寬46.6厘米。

紙本，設色。

現藏臺北故宮博物院。

羅漢圖

明

丁雲鵬

高37.7、寬702厘米。

紙本，設色。

現藏上海博物館。

煮茶圖

明

丁雲鵬

高140.5、寬57.6厘米。

紙本，設色。

現藏江蘇省無錫市博物館。

松巔函虛圖

明

丁雲鵬

高205.7、寬56.2厘米。

紙本，水墨淡設色。

現藏臺北故宮博物院。

竹林漫步圖

明
丁雲鵬
高17.9、寬56厘米。
金箋，水墨。
現藏故宮博物院。

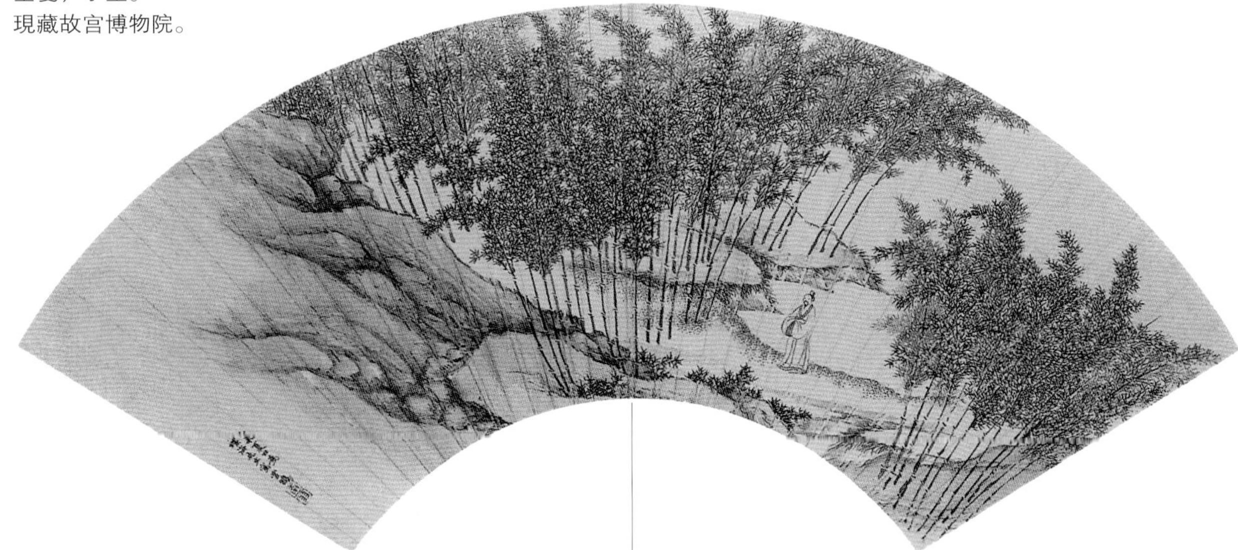

馬守真（公元1548－1604年）

明代女畫家。金陵（今江蘇南京）人。小字玄兒，又字月嬌，號湘蘭。曾爲秦淮歌伎。能詩，善畫蘭竹。

蘭石圖

明
馬守真
高16.3、寬50.2厘米。
金箋，水墨。
現藏故宮博物院。

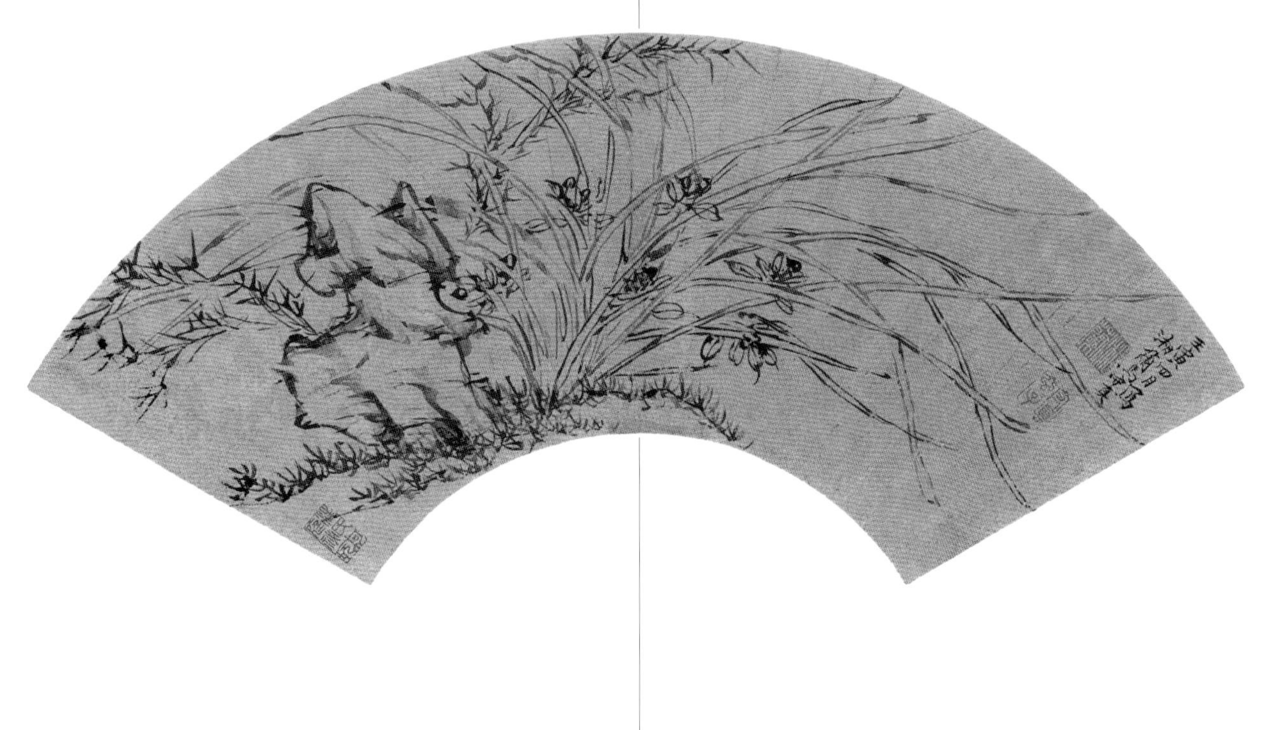

李士達（公元1550－1620年）

明代畫家。蘇州（今屬江蘇）人。號仰槐。善畫人物，兼作山水。

仙山樓閣圖

明
李士達
高167.7、寬79.2厘米。
絹本，設色。
現藏南京博物院。

三駝圖

明
李士達
高78.5、寬30.3厘米。
紙本，水墨。
現藏故宮博物院。

尤 求

明代畫家。長洲（今江蘇蘇州）人，寓居太倉（今屬江蘇）。字子求，號鳳丘，一作鳳山。善畫人物、山水，尤擅白描仕女。

人物山水圖（選二開）

明

尤求

高21.9、寬32.5厘米。

紙本，設色。共十二開。

現藏上海博物館。

人物山水圖之一

人物山水圖之二

漢宮春曉圖（局部）

明
尤求
全圖高24、寬803厘米。
紙本，水墨。
現藏上海博物館。

漢宮春曉圖局部之一

漢宮春曉圖局部之二

董其昌（公元1555－1637年）

明代書畫家。華亭（今上海松江）人。字玄宰，號思白、思翁，别號香光居士。萬曆十七年（公元1589年）進士，官至南京禮部尚書。天啓六年（公元1626年）辭官。謚號文敏，畫宗董源、巨然和“元四家”，畫風安閑温和。提出繪畫“南北宗”之説，推崇“南宗”爲文人畫正宗，貶“北宗”繪畫。提倡摹古，對明末清初畫壇影響很大。

岩居圖

明

董其昌

高32.8、寬135.7厘米。

紙本，水墨。

現藏江蘇省無錫市博物館。

峰巒渾厚圖

明
董其昌
高21.2、寬159.5厘米。
絹本，設色。
現藏遼寧省博物館。

秋興八景圖（選二開）

明

董其昌

高53.8、寬31.7厘米。

紙本，設色。共八開。

現藏上海博物館。

秋興八景圖之一

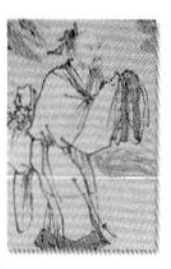

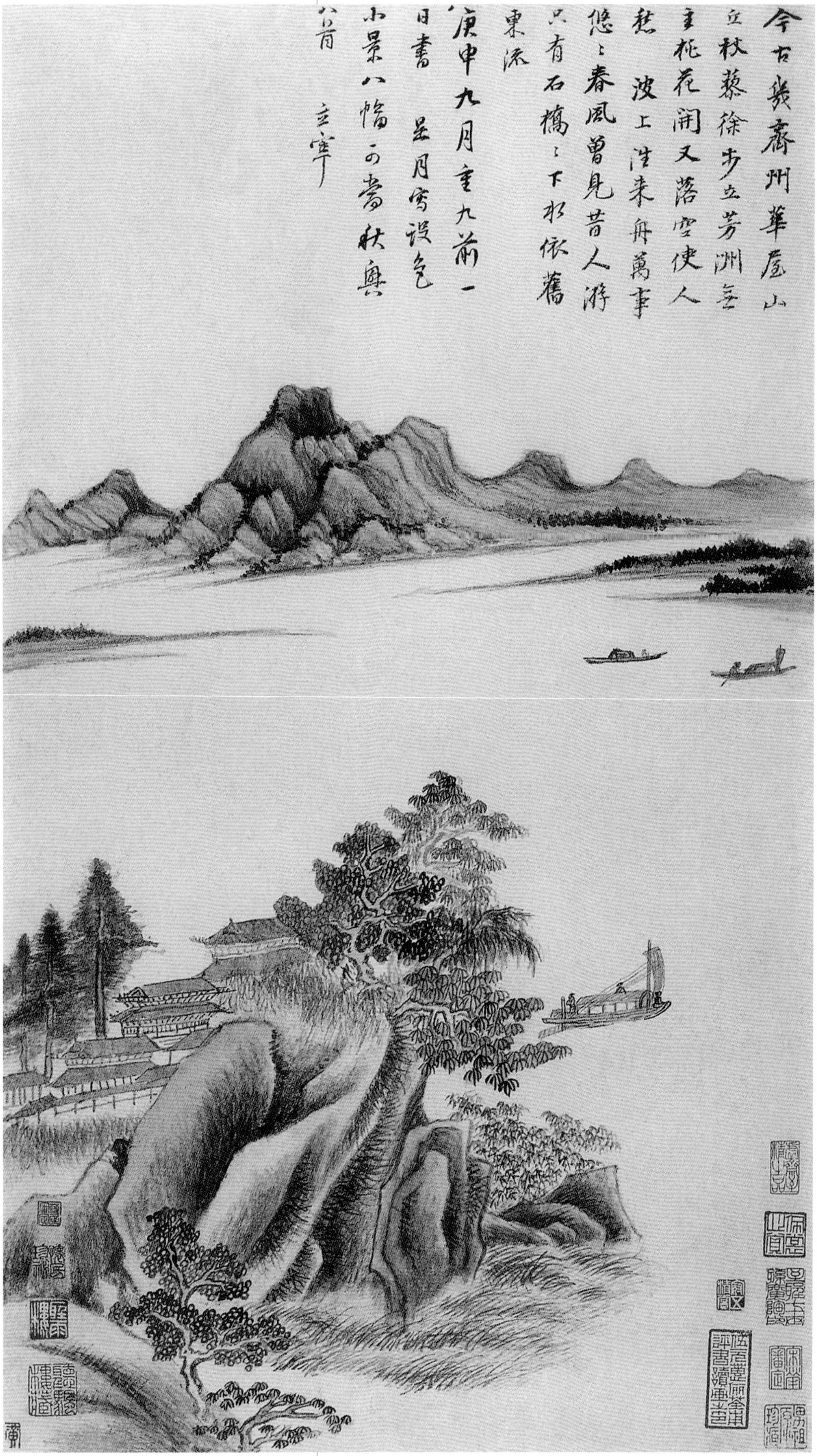
今古幾齊州華屋山
丘杖藜徐步立芳洲無
主桃花開又落空使人
愁 波上往來舟萬事
悠悠春風曾見昔人游
只有石橋橋下水依舊
東流
庚申九月重九前一
日書 是月寫設色
小景八幅可當秋興
八首 玄宰

秋興八景圖之二

仿古山水圖（選四開）

明

董其昌

高26.2、寬25.5厘米。

紙本，水墨或設色。共八開。

現藏故宮博物院。

仿古山水圖之一

仿古山水圖之二

仿古山水圖之三

仿古山水圖之四

贈稼軒山水圖

明

董其昌

高101.6、寬46.3厘米。

紙本，水墨。

現藏故宮博物院。

北山荷鋤圖

明

董其昌

高117.7、寬56.3厘米。

紙本，水墨。

現藏上海博物館。

燕吴八景圖（選二開）

明

董其昌

高26.1、寬24.8厘米。

絹本，設色。共八開。

現藏上海博物館。

燕吴八景圖之一

燕吴八景圖之二

晝錦堂圖

明

董其昌

高29.5、寬105厘米。

紙本，設色。

現藏吉林省博物院。

細瑣宋法山水圖

明

董其昌

高25.3、寬111.4厘米。

紙本，水墨。

現藏上海博物館。

葑涇訪古圖

明

董其昌

高80、寬29.8厘米。

紙本，水墨。

現藏臺北故宮博物院。

林和靖詩意圖

明

董其昌

高154.4、寬64.2厘米。

絹本，設色。

現藏故宮博物院。

趙左

明代畫家。華亭（今上海松江）人。字文度。善畫山水、人物，其畫風出于宋旭之門，遠宗董源，兼學黄公望、倪瓚，善用乾筆焦墨。

山水圖（選二開）

明
趙左
高26.1、寬22.2厘米。
絹本，設色。共十開。
現藏故宫博物院。

山水圖之一

山水圖之二

華山圖

明

趙左

高193.2、寬81.4厘米。

絹本，設色。

現藏遼寧省博物館。

秋山紅樹圖

明

趙左

高150、寬53.7厘米。

絹本，設色。

現藏臺北故宮博物院。

陳繼儒（公元1558－1639年）

明代畫家。華亭（今上海松江）人。字仲醇，號麋公，又號眉公。善畫山水、梅竹。

雲山幽趣圖

明

陳繼儒

高110.4、寬54.6厘米。

絹本，水墨。

現藏遼寧省博物館。

紅梅綠竹圖

明

陳繼儒

高123.5、寬53厘米。

絹本，設色。

現藏湖北省博物館。

吴彬

明代畫家。莆田（今屬福建）人，流寓金陵（今江蘇南京）。字文中，號枝庵髮僧、枝隱庵主。萬曆間因善畫薦授中書舍人。長于山水，筆墨出奇；又善畫人物、佛像。

山蔭道上圖

明

吴彬

高31.9、寬862.2厘米。

紙本，設色。

現藏上海博物館。

山蔭道上圖之一

山蔭道上圖之二

山蔭道上圖之三

山蔭道上圖之四

山蔭道上圖之五

千岩萬壑圖

明

吴彬

高126.5、寬28.7厘米。

紙本，設色。

現藏故宫博物院。

仙山高士圖

明

吴彬

高162.8、寬59.1厘米。

紙本，設色。

現藏故宫博物院。

普賢圖

明

吴彬

高127.6、寬66厘米。

紙本，設色。

現藏故宮博物院。

吴振

明代畫家。華亭（今上海松江）人。字振之，一作元振，號竹嶼、雪鴻。善寫山水，宗董源、黄公望、倪瓚，尤近黄公望筆意。皴染淹潤，筆墨秀逸，爲“雲間派”正宗，與趙左齊名，頗得董其昌賞識。

湖山晚晴圖

明

吴振

高31、寬313.7厘米。

絹本，水墨。

現藏首都博物館。

陳 裸（公元1563－約1639年）

明代畫家。蘇州（今屬江蘇）人，一作雲間（今上海松江）人。初名瓚，字叔裸，後去“叔”字，以字行，更字誠將，號白室、道樗。善畫山水。

幽谷鹿來圖

明

陳裸

高145.7、寬51厘米。

紙本，設色。

現藏首都博物館。

項德新

明代畫家。嘉興（今屬浙江）人。字復初，項元汴第三子。精山水，曾爲其父代筆。亦善花卉、墨竹。

絶壑秋林圖

明

項德新

高105.6、寬34.5厘米。

紙本，水墨。

現藏上海博物館。

仿王孟端竹石圖

明

項德新

高88.5、寬30厘米。

紙本，水墨。

現藏首都博物館。

薛素素

明代女畫家。萬曆年間（公元1573-1620年）金陵（今江蘇南京）名妓。字素卿，又字潤娘，號雪素。擅畫人物、山水、蘭竹。

吹簫仕女圖

明

薛素素

高63.3、寬24.4厘米。

絹本，水墨。

現藏南京博物院。

程嘉燧（公元1565－1644年）

明代畫家。休寧（今屬安徽）人，寄居嘉定（今屬上海）。字孟陽，號松園老人、偈庵，晚年皈依佛教，釋名海能。善畫山水，宗倪瓚、黄公望，亦精花卉。

桐下高吟圖

明

程嘉燧

高116.4、寬28.1厘米。

紙本，水墨。

現藏上海博物館。

秋溪叠嶂圖

明

程嘉燧

高197.5、寬78.5厘米。

紙本，水墨淡設色。

現藏臺北故宫博物院。

松谷庵圖

明
程嘉燧
高17.5、寬53.3厘米。
金箋，設色。
現藏上海博物館。

樂游原圖

明
程嘉燧
高16、寬49厘米。
金箋，設色。
現藏上海博物館。

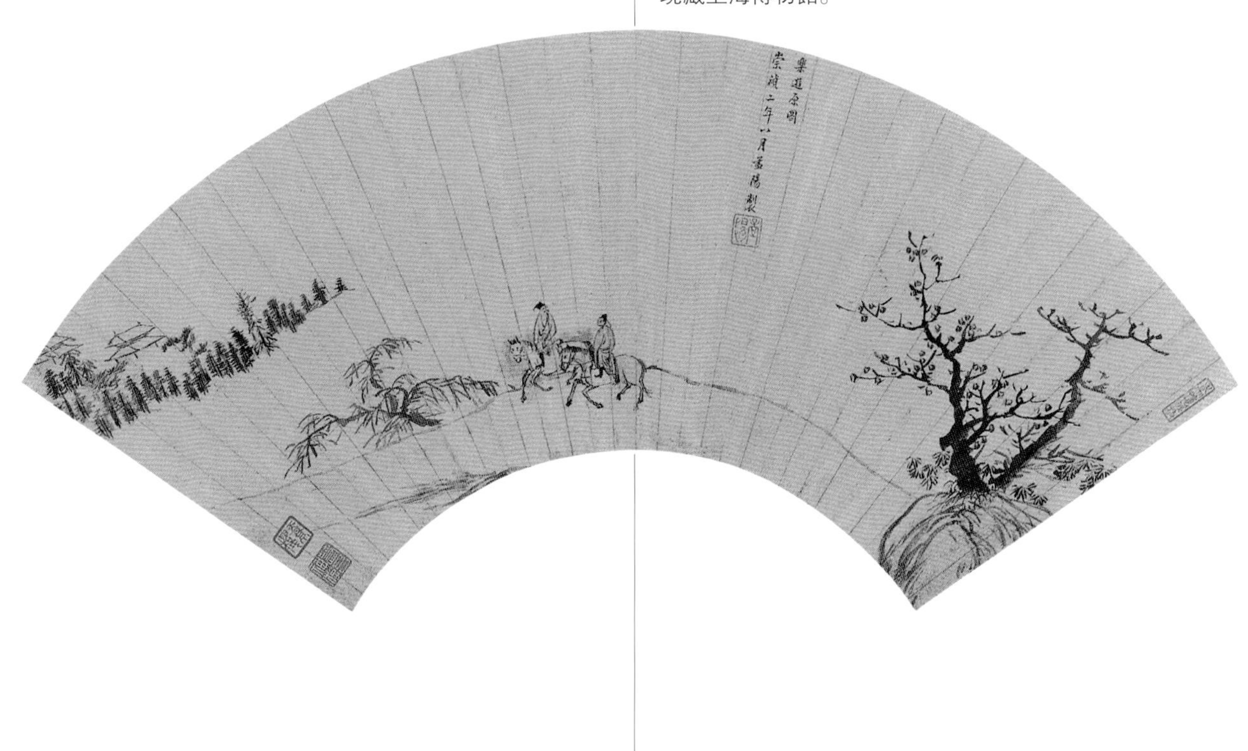

魏之璜（公元1568－1647年）

明代畫家。上元（今江蘇南京）人。字考叔。善畫人物、山水、花卉。畫時不襲粉本，平生所作，均無相同。

千岩競秀圖（局部）

明

魏之璜

全圖高32.5、寬584.5厘米。

紙本，設色。

現藏上海博物館。

千岩競秀圖局部之一

千岩競秀圖局部之二

曾鯨（公元1568－1650，一作1564–1647年）

明代畫家。莆田（今屬福建）人，寓居金陵（今江蘇南京）。字波臣。以畫肖像著名，有學者認爲其肖像畫法可能受到當時傳入明朝的基督教聖像畫寫實技巧影響。創肖像畫新畫法，學者衆多，形成“波臣派”。

王時敏像

明

曾鯨

高64、寬42.7厘米。

絹本，設色。

現藏天津博物館。

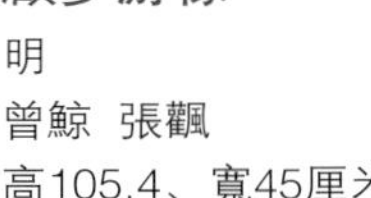

顧夢游像

明

曾鯨 張翾

高105.4、寬45厘米。

紙本，設色。

現藏南京博物院。

米萬鍾（公元1570－1628年）

明代畫家。原籍關中（今陝西一帶），後遷順天（今北京）。字仲詔，號友石。擅畫山水，亦精花卉。

竹石菊花圖

明

米萬鍾

高180.3、寬54厘米。

絹本，水墨。

現藏故宮博物院。

雨過岩泉圖

明

米萬鍾

高308.8、寬96.7厘米。

紙本，水墨。

現藏上海博物館。

陳煥

明代畫家。吴縣（今江蘇蘇州）人。字子文，號堯峰。工山水，取法沈周。

林溪觀泉圖

明

陳煥

高62.5、寬24.8厘米。

紙本，設色。

現藏故宫博物院。

張瑞圖（公元？－1644年）

明代畫家。晋江（治今福建泉州）人。字長公，號二水。工書善畫，山水學黄公望，亦工佛像。

書畫合璧圖（選二開）

明
張瑞圖
高29.2、寬34.7厘米。
紙本，水墨。
共十一開。
現藏故宫博物院。

書畫合璧圖之一

書畫合璧圖之二

崔子忠（約公元1574－1644年）

明代畫家。萊陽（今屬山東）人，居順天府（今北京）。初名丹，改名子忠，字開予，號北海，又號青蚓。善畫人物、仕女，畫風近南唐周文矩，衣紋多曲屈轉折，重細描設色，自出新意。與陳洪綬齊名，人稱“南陳北崔”。

漁家圖

明
崔子忠
高17.8、寬52.6厘米。
金箋，設色。
現藏故宮博物院。

長白仙踪圖

明
崔子忠
高35.6、寬97.4厘米。
絹本，設色。
現藏上海博物館。

藏雲圖（右圖）

明
崔子忠
高189、寬50.6厘米。
絹本，設色。
現藏故宮博物院。

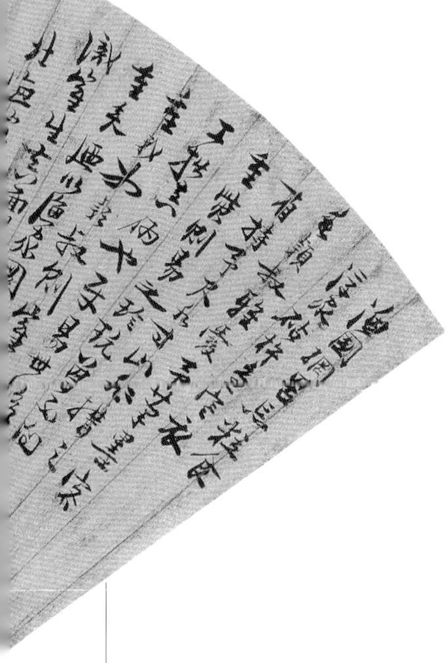

雲中玉女圖

明

崔子忠

高168、寬52.5厘米。

綾本，設色。

現藏上海博物館。

雲林洗桐圖

明

崔子忠

高160、寬53厘米。

綾本，設色。

現藏臺北故宮博物院。

關思

明代畫家。烏程（今浙江湖州）人。字何思，一字九思，後更字仲通，號虛白。擅畫山水、人物、樓閣，宗關仝和荆浩。

秋林聽泉圖

明

關思

高150、寬59.5厘米。

絹本，設色。

現藏臺北故宫博物院。

山水圖

明

關思

高167、寬57.5厘米。

絹本，設色。

現藏浙江省博物館。

沈士充

明代畫家。華亭（今上海松江）人。字子居。善畫山水，常爲董其昌代筆。

松林草堂圖

明
沈士充
高26.2、寬312.3厘米。
紙本，設色。
現藏上海博物館。

山烟春晚圖

明

沈士充

高126、寬49.6厘米。

紙本，設色。

現藏上海文物商店。

胡宗仁

明代畫家。上元（今江蘇南京）人。字彭舉，號長白。善畫山水，師法倪瓚，晚年得王蒙、黄公望二家之風。

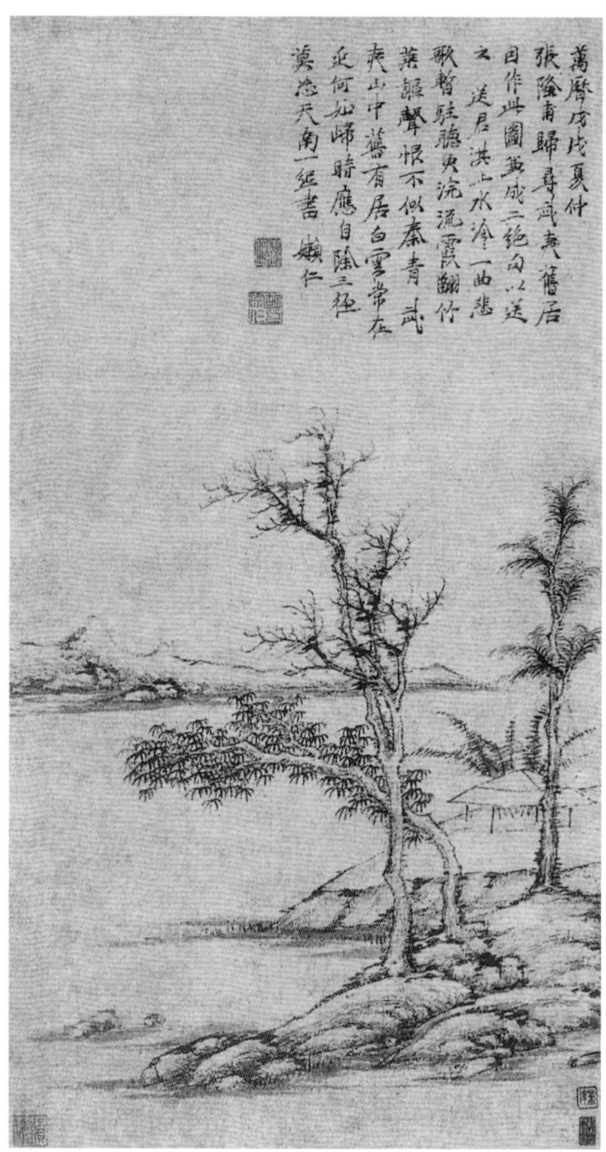

武夷山圖

明

胡宗仁

高62.8、寬33厘米。

紙本，水墨。

現藏南京博物院。

李流芳（公元1575－1629年）

明代畫家。歙縣（今屬安徽）人，居嘉定（今屬上海）。字長蘅，一字茂宰，號檀園、泡庵、慎娛居士。工書善畫，長于山水，學吴鎮、黄公望。

吴中十景圖（選二開）

明
李流芳
高27.8、寬34厘米。
灑金箋，設色。共十開。
現藏上海博物館。

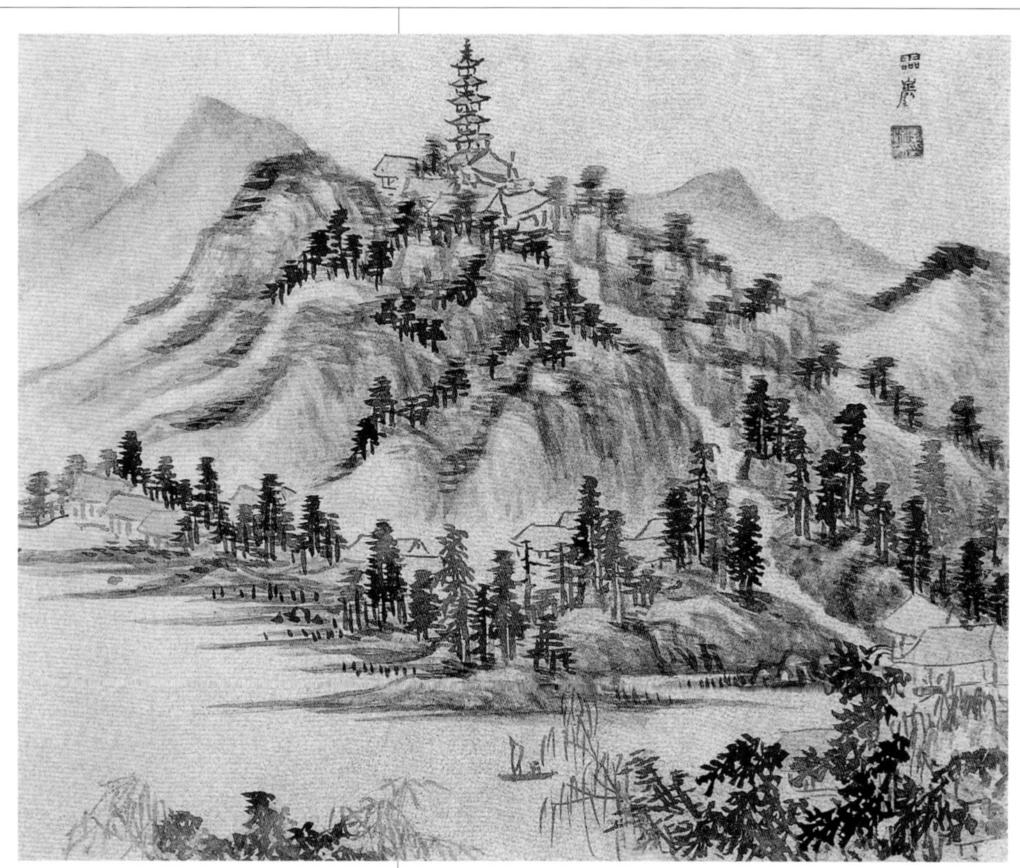
吴中十景圖之一

吴中十景圖之二

爲士遠作山水圖（選四開）

明

李流芳

高22.4、寬36.3厘米。
紙本，水墨。共十開。
現藏故宮博物院。

爲士遠作山水圖之一

爲士遠作山水圖之二

爲士遠作山水圖之三

爲士遠作山水圖之四

卞文瑜（公元1576－1655年）

明代畫家。長洲（今江蘇蘇州）人。本姓徐，後改卞，字潤甫，號浮白。擅畫山水小景。

秋江圖

明

卞文瑜

高29.5、寬219.5厘米。

紙本，設色。

現藏北京市文物商店。

山水圖（選二開）

明

卞文瑜

高22、寬38.8厘米。

紙本，水墨或設色。共八開。

現藏南京博物院。

山水圖之一

山水圖之二

宋　珏（公元1576－1632年）

明代畫家。莆田（今屬福建）人，寓居金陵（今江蘇南京）。字比玉，號荔枝仙。工畫山水。

山樓對雨圖

明

宋珏

高82.5、寬27.4厘米。

紙本，水墨。

現藏故宮博物院。

張　宏（公元1580－?年）

明末畫家。蘇州（今屬江蘇）人。字君度，號鶴澗。擅山水，師沈周，筆意古拙，筆力峭拔，墨色濕潤。

青綠山水圖

明

張宏

高130.3、寬63.1厘米。

絹本，設色。

現藏上海博物館。

延陵挂劍圖

明

張宏

高180.5、寬50厘米。

紙本，設色。

現藏故宮博物院。

盛茂燁

明代畫家。長洲（今江蘇蘇州）人。燁，一作煜，號念庵，一作硯庵。善畫山水、人物。

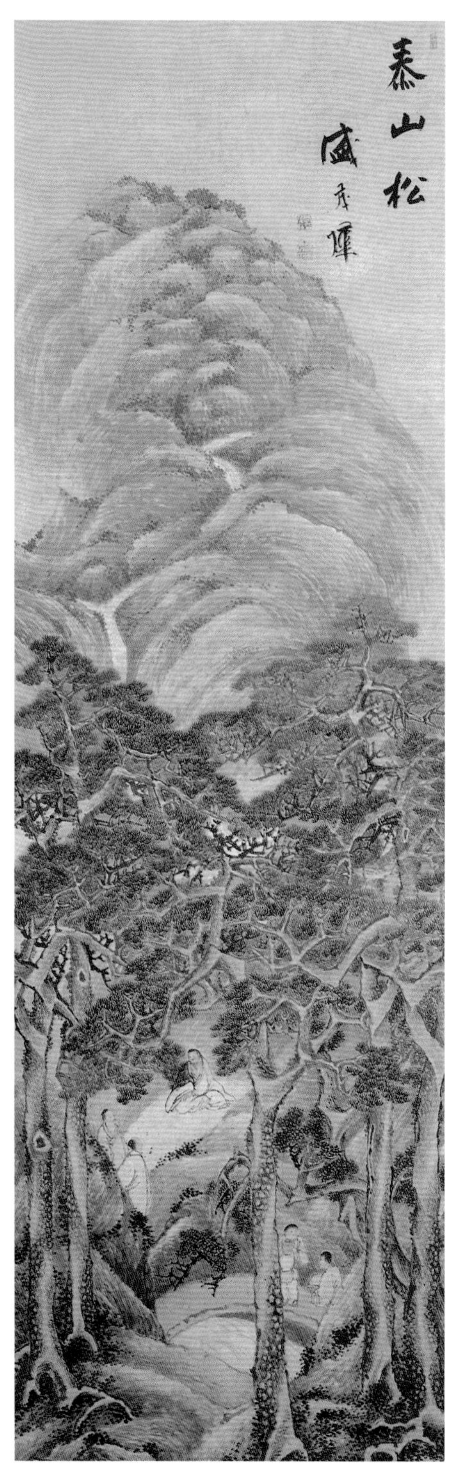

泰山松圖

明

盛茂燁

高308.8、寬96.7厘米。

紙本，設色。

現藏上海博物館。

王維烈

明代畫家。蘇州（今屬江蘇）人。字無競。善畫花鳥，師法周之冕。

白鷴圖

明
王維烈
高167、寬85.5厘米。
紙本，設色。
現藏故宮博物院。

王　偕

明代畫家。居常熟（今屬江蘇）荻溪。字叔與，號書隱。善畫鳥。

松鷹飛禽圖

明
王偕
高300、寬95厘米。
紙本，設色。
現藏南京博物院。

藍　瑛（公元1586－約1666年）

明代畫家。錢塘（今浙江杭州）人。字田叔，號蜨叟，晚號石頭陀、西湖研民等。工書善畫，尤以山水著名，早年學黄公望，其青緑山水，仿張僧繇没骨法，鮮艷奪目。後漫游南北，風格一變，中年以後自立門庭，下筆蒼老堅勁，格調近沈周，對明末、清初浙江地區繪畫有很大影響。

水閣延秋圖

明

藍瑛

高17、寬48.3厘米。

金箋，設色。

現藏上海博物館。

櫻桃小鳥圖

明

藍瑛

高16.7、寬51厘米。

紙本，設色。

現藏故宫博物院。

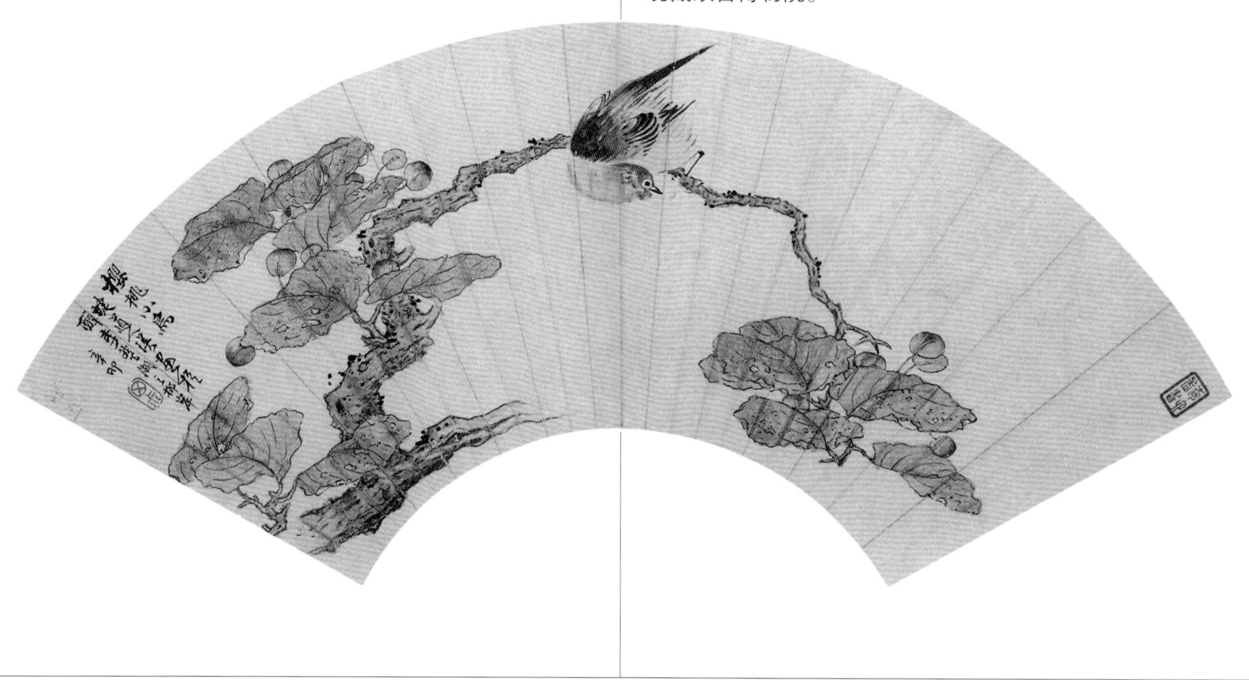

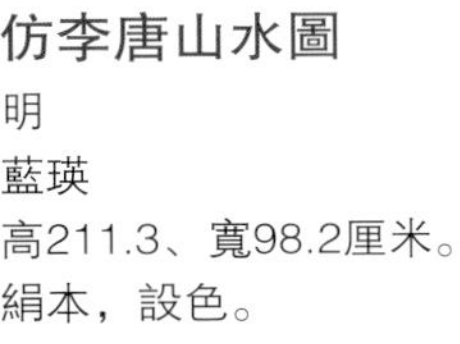

仿李唐山水圖

明

藍瑛

高211.3、寬98.2厘米。

絹本，設色。

現藏上海博物館。

澄觀圖（選四開）

明

藍瑛

高42.5–45、寬30厘米。

金箋，水墨或設色。共十二開。

現藏故宮博物院。

澄觀圖之一

澄觀圖之二

澄觀圖之三

澄觀圖之四

桃源春靄圖

明

藍瑛

高186.5、寬86.2厘米。

絹本，設色。

現藏山東省青島市博物館。

白雲紅樹圖（右圖）

明

藍瑛

高189.4、寬48厘米。

絹本，設色。

現藏故宮博物院。

雲壑藏漁圖（左圖）

明

藍瑛

高369、寬98厘米。

絹本，設色。

現藏故宫博物院。

仿燕文貴秋壑尋詩圖

明

藍瑛

高189.7、寬96.3厘米。

絹本，設色。

現藏故宫博物院。

仿趙仲穆山水圖

明

藍瑛

高179、寬94厘米。

絹本，設色。

現藏山東省濟南市博物館。

華岳高秋圖（右圖）

明

藍瑛

高311.3、寬102.4厘米。

絹本，設色。

現藏上海博物館。

張　翀

明代畫家。江寧（今江蘇南京）人。字子羽，號渾然子、圖南。工畫人物、仕女，亦能花卉、山水。

鬥酒聽鸝圖

明

張翀

高216、寬100厘米。

絹本，設色。

現藏南京博物院。

瑶池仙劇圖

明

張翀

高192.5、寬103.5厘米。

絹本，設色。

現藏故宫博物院。

惲　向（公元1586－1655年）

明代畫家。武進（今江蘇常州）人。原名本初，字道生，號香山。善畫山水，早年學董源、巨然二家畫法，晚學黃公望、倪瓚。惜墨如金，揮灑如意，妙合自然。

仿古山水圖之一

仿古山水圖（選二開）

明

惲向

高26.1、寬16.4厘米。

紙本，水墨。共十開。

現藏中國國家博物館。

仿古山水圖之二

秋林平遠圖

明
惲向
高148.8、寬61.5厘米。
紙本，水墨。
現藏上海博物館。

青山綺皓圖

明
惲向
高290.5、寬101.8厘米。
紙本，水墨。
現藏上海博物館。

江必名

明代畫家。工畫山水，爲董其昌入室弟子。

白雪高風圖

明

江必名

高299.6、寬80.5厘米。

紙本，水墨。

現藏江蘇省蘇州博物館。

邵　彌（約公元1592－1642年）

明代畫家。長洲（今江蘇蘇州）人。字僧彌，號瓜疇、芬陀居士。善畫山水，學荆浩、關仝，略參馬遠、夏圭筆意。筆墨簡括，自成風格。亦善畫佛像。

高松遠澗圖

明

邵彌

高144.3、寬60.4厘米。

紙本，設色。

現藏上海博物館。

積書岩圖（左圖）

明

邵彌

高101、寬31.5厘米。

絹本，設色。

現藏江蘇省無錫市博物館。

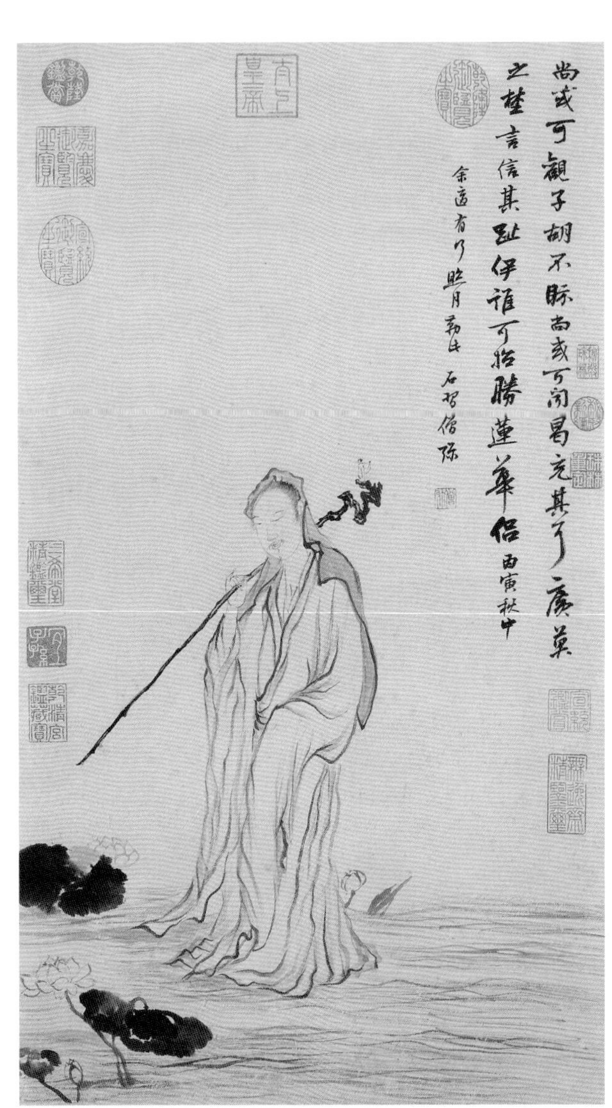

蓮華大士像

明

邵彌

高65.1、寬34.4厘米。

紙本，水墨。

現藏臺北故宮博物院。

山水人物圖（選四開）

明

邵彌

高28.6、寬21.1厘米。

絹本，設色。共十開。

現藏上海博物館。

山水人物圖之一

山水人物圖之二

山水人物圖之三

山水人物圖之四

雜畫（選二開）

明

邵彌

高28.8、寬19.4厘米。

紙本或絹本，水墨或設色。共八開。

現藏故宮博物院。

雜畫之一

雜畫之二

蔣　靄

明代畫家。松江（今上海）人。字志和。以山水畫見長，學沈士充。

峻壁飛泉圖

明
蔣靄
高129.5、寬60厘米。
紙本，設色。
現藏廣東省廣州美術館。

倪元璐（公元1593－1644年）

明代畫家。上虞（今浙江上虞南）人。字玉汝，號鴻寶。書畫俱工，畫風雄深高渾，蒼潤古雅。

山水圖

明
倪元璐
高125.7、寬30.4厘米。
灑金箋，水墨。
現藏上海博物館。

山水花卉圖（選二開）

明
倪元璐
高37.3、寬65.3厘米。
綾本，水墨。
現藏上海博物館。

山水花卉圖之一

山水花卉圖之二

楊文驄（公元1597－1646年）

明代畫家。貴陽（今屬貴州）人，流寓金陵（今江蘇南京）。字龍友。善畫山水，作畫有宋人風骨，結合元人氣韵，别具一格。

雁蕩八景圖（選二開）

明
楊文驄
高24.5、寬17.5厘米。
紙本，水墨。共八開。
現藏南京博物院。

雁蕩八景圖之一

雁蕩八景圖之二

别一山川圖

明

楊文驄

高100.5、寬47厘米。

紙本，水墨。

現藏上海博物館。

高逸圖（右圖）

明

楊文驄

高208、寬54厘米。

紙本，水墨淡設色。

現藏北京市文物局。

項聖謨（公元1597－1658年）

明代畫家。秀水（今浙江嘉興）人。一作正謨，字孔彰，號易庵、胥山樵、別號松濤散仙。善畫山水，初學文徵明，遠法宋人，尤能汲取元人氣韻。兼工花木竹石和人物。

山水圖之一

山水圖（選二開）

明

項聖謨

高53.3、寬24.4厘米。

紙本，水墨或設色。共十二開。

現藏上海博物館。

山水圖之二

楚澤流芳圖（局部）

明

項聖謨

全圖高46.2、寬1232厘米。

紙本，水墨。

現藏故宫博物院。

楚澤流芳圖局部之一

楚澤流芳圖局部之二

楚澤流芳圖局部之三

花卉圖（選四開）

明

項聖謨

高31、寬23.8厘米。

紙本，設色。共十開。

現藏遼寧省博物館。

花卉圖之一

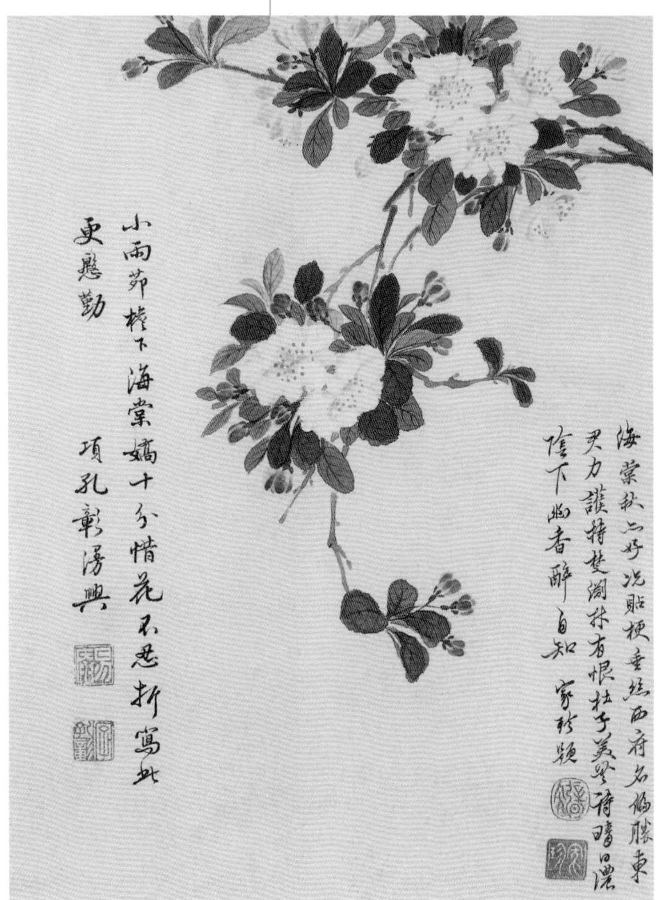

花卉圖之二

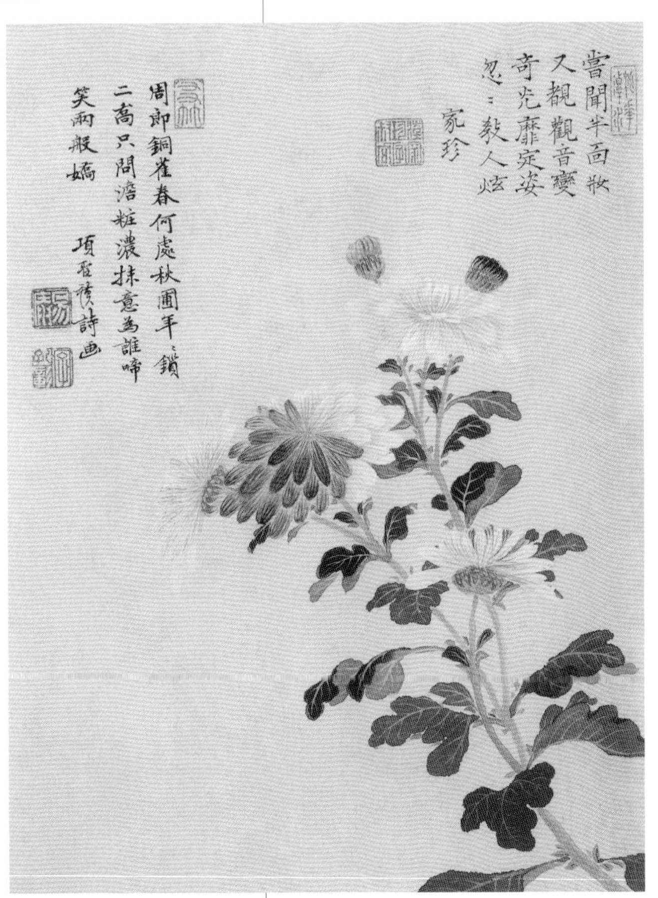

花卉圖之三

花卉圖之四

山水圖（選二開）

明

項聖謨

高25.5、寬18.7厘米。

紙本，水墨。共八開。

現藏上海博物館。

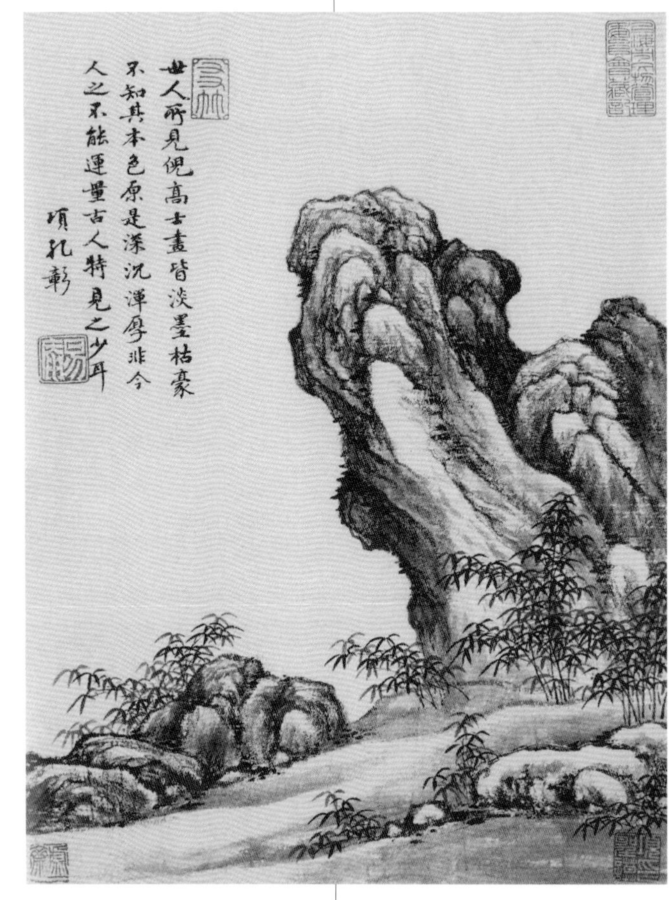

山水圖之一

山水圖之二

大樹風號圖

明

項聖謨

高111.4、寬50.3厘米。

紙本，設色。

現藏故宮博物院。

陳洪綬（公元1598－1652年）

明代畫家。諸暨（今屬浙江）人。字章侯，號老蓮、蓮子，晚號悔遲、老遲等。人物、山水、花鳥俱精，尤以人物畫個性鮮明。早年曾隨藍瑛學畫，又取法李公麟、趙孟頫。其畫造型誇張，勾綫勁挺，富有節奏感和裝飾情趣。對後世影響很大。

蕉林酌酒圖

明

陳洪綬

高156.2、寬107厘米。

絹本，設色。

現藏天津博物館。

二老行吟圖

明

陳洪綬

高126、寬50厘米。

絹本，水墨淡設色。

現藏清華大學美術學院。

蓮石圖

明

陳洪綬

高151.9、寬62厘米。

紙本，水墨。

現藏上海博物館。

荷花鴛鴦圖

明

陳洪綬

高184、寬99厘米。

絹本，設色。

現藏故宫博物院。

花蝶寫生圖（右圖）

明

陳洪綬

高76.9、寬25.8厘米。

絹本，設色。

現藏臺北故宫博物院。

喬松仙壽圖

明

陳洪綬

高202.1、寬97.8厘米。

絹本，設色。

現藏臺北故宮博物院。

隱居十六觀圖（選四開）

明

陳洪綬

高21.4、寬29.8厘米。

紙本，水墨淡設色。共十六開。

現藏臺北故宮博物院。

隱居十六觀圖之一

隱居十六觀圖之二

隱居十六觀圖之三

隱居十六觀圖之四

雅集圖
明
陳洪綬
高29.8、寬98.4厘米。
紙本，水墨。
現藏上海博物館。

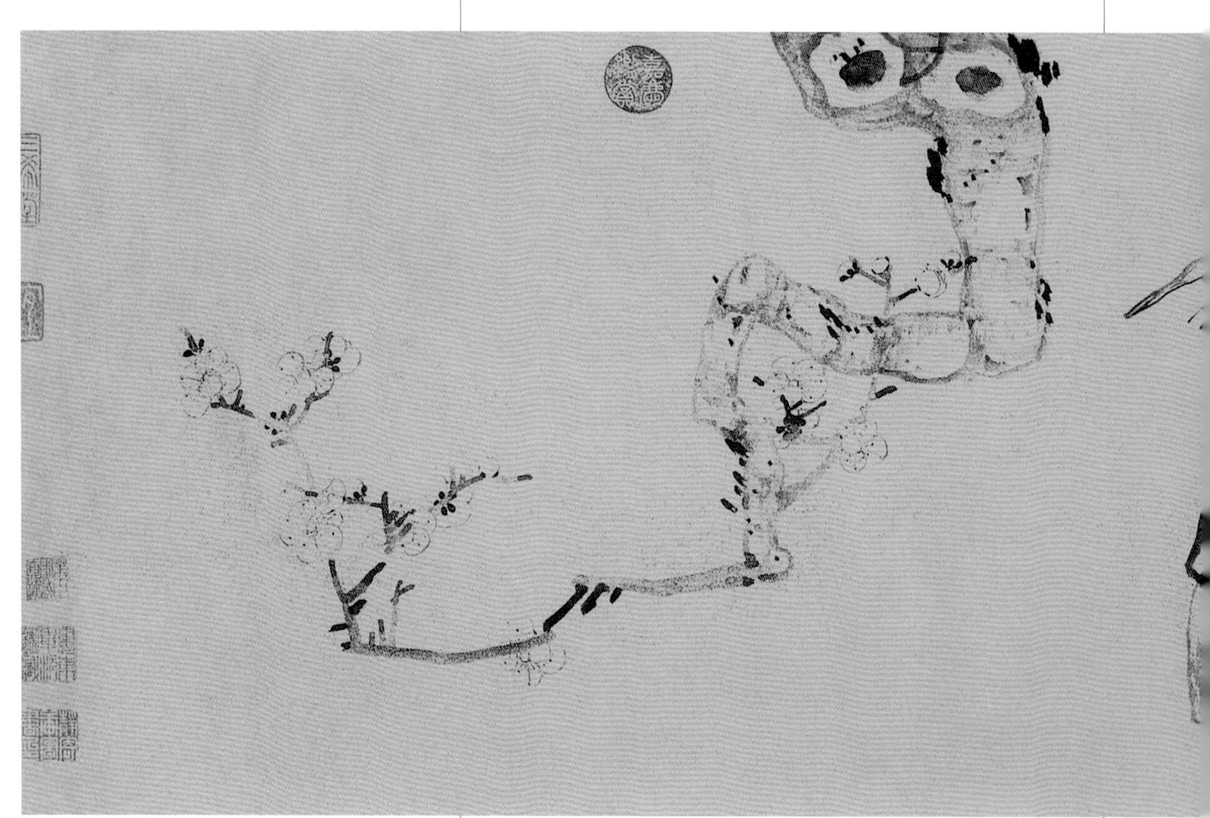

梅石蛺蝶圖
明
陳洪綬
高37.9、寬123厘米。
金箋，水墨。
現藏故宫博物院。

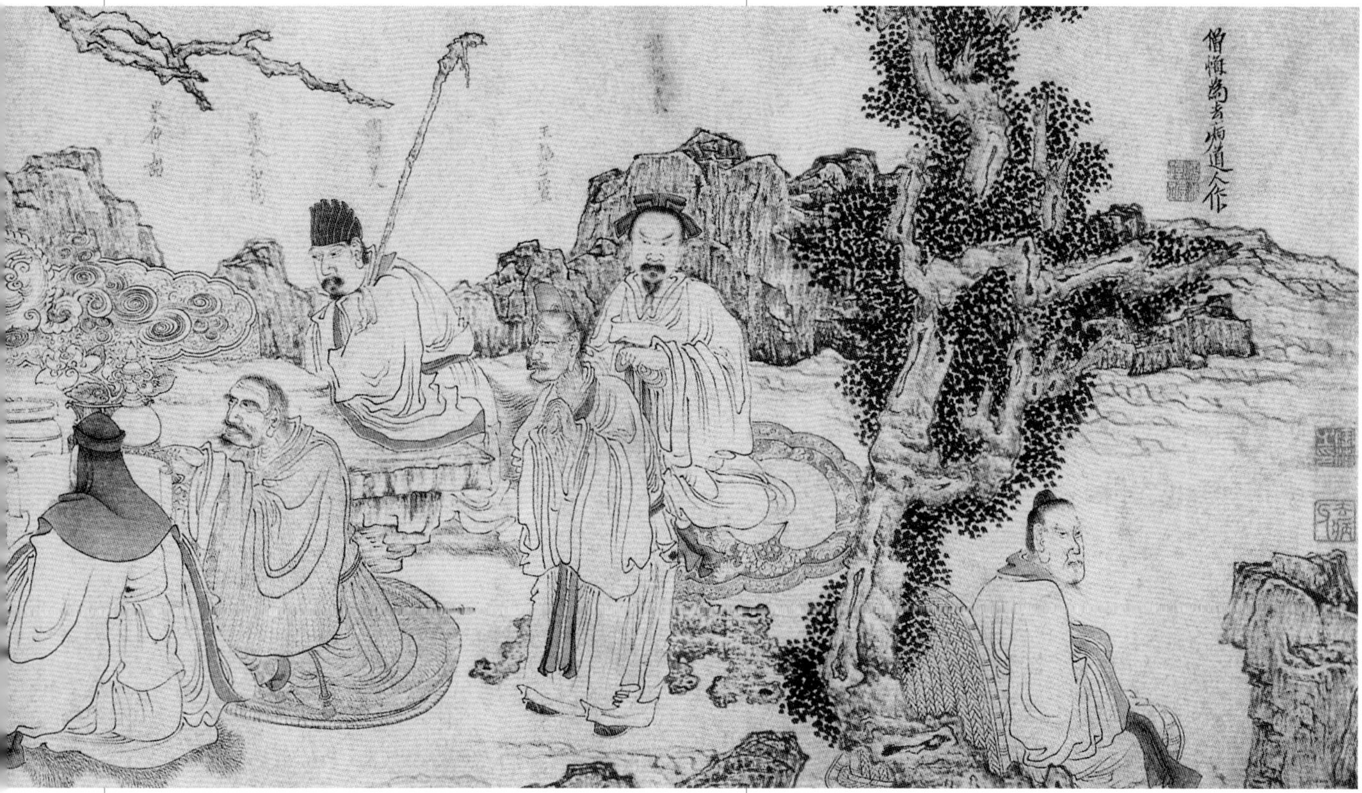

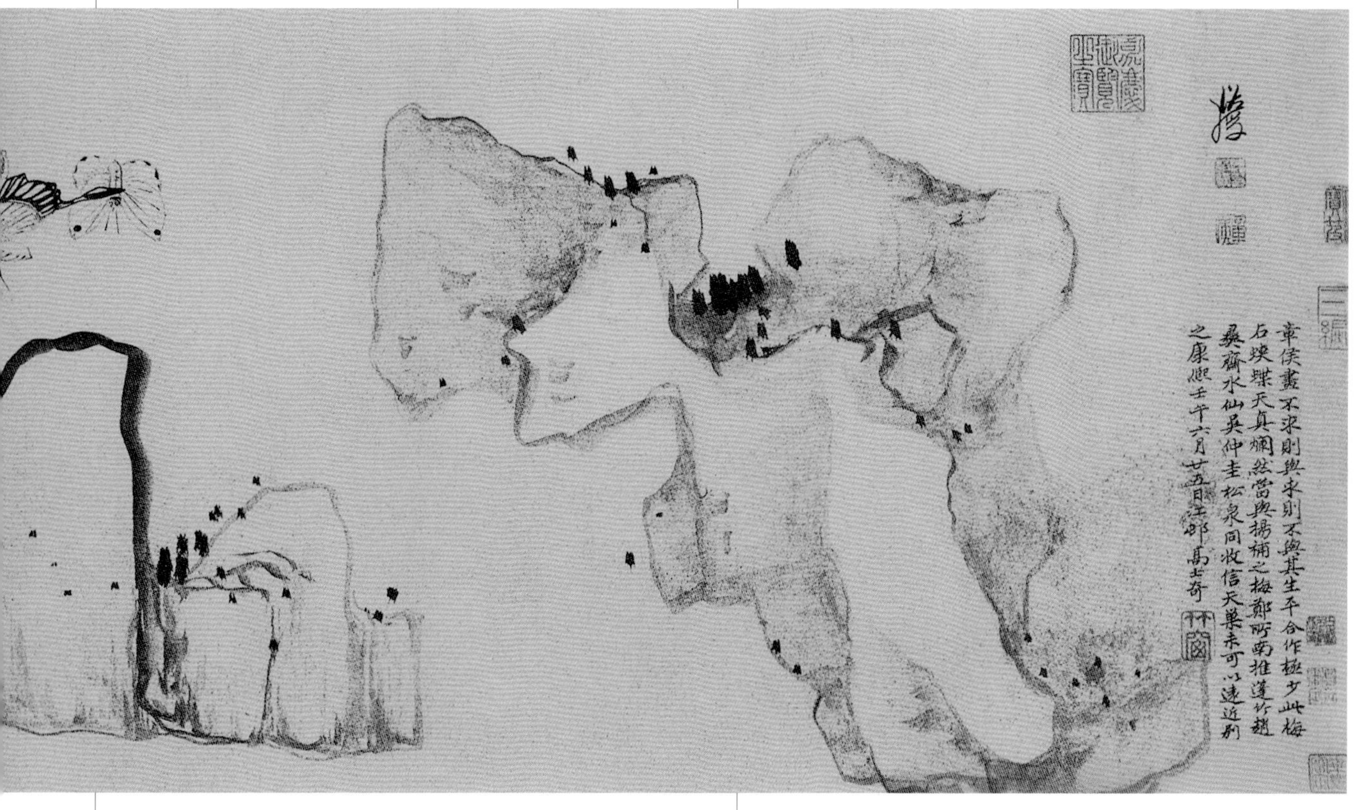
章侯畫不求則與求則不與其生平合作極少此梅
石蛺蝶天真爛然當與揚補之梅鄭所南推蓬竹趙
彝齋水仙吳仲圭松泉同收信天巢未可以遠近別
之康熙壬午六月廿五日江邨高士奇

雜畫（選四開）

明

陳洪綬

高30.2、寬25.1厘米。

絹本，設色。共八開。

現藏故宮博物院。

雜畫之一

雜畫之二

雜畫之三

雜畫之四

梅花山鳥圖

明

陳洪綬

高124.3、寬49.6厘米。

絹本，設色。

現藏臺北故宫博物院。

斜倚熏籠圖

明

陳洪綬

高129.6、寬47.3厘米。

綾本，設色。

現藏上海博物館。

山水人物圖（左圖）

明

陳洪綬

高171、寬48.5厘米。

絹本，設色。

現藏故宫博物院。

雪景山水圖

明

佚名

高157、寬74.5厘米。

絹本，設色。

現藏山西博物院。

江山無盡圖（局部）

明

佚名

全圖高46.2、寬1631.5厘米。

絹本，水墨。

現藏遼寧省博物館。

江山無盡圖局部之一

江山無盡圖局部之二

玉陽洞天圖

明

佚名

高38.3、寬781.2厘米。

絹本，設色。

現藏天津博物館。

青綠山水圖

明

佚名

高173.5、寬94厘米。

絹本，設色。

現藏上海人民美術出版社。

七星古檜圖

明

佚名

高79.2、寬41厘米。

紙本，水墨。

現藏臺北故宫博物院。

山樓風雨圖
明
佚名
高222.4、寬113.6厘米。
絹本，設色。
現藏上海博物館。

携琴訪友圖
明
佚名
高226.5、寬115厘米。
絹本，設色。
現藏北京畫院。

黄鶴樓圖

明

佚名

高33.2、寬30.4厘米。

絹本，設色。

現藏上海博物館。

明成祖像

明

佚名

高220、寬150厘米。

絹本，設色。

現藏臺北故宫博物院。

人物像（選二開）

明

佚名

每幅高48.4、寬26.4厘米。

紙本，設色。共十二開。

現藏南京博物院。

出警圖（局部）

明

佚名

全圖高92.1、寬2601.3厘米。

絹本，設色。

現藏臺北故宫博物院。

出警圖局部之一

出警圖局部之二

歲寒禽趣圖

明
佚名
高145.5、寬79.5厘米。
絹本，設色。
現藏上海博物館。

荷塘聚禽圖

明
佚名
高266、寬192厘米。
絹本，設色。
現藏四川博物院。

秋林聚禽圖

明

佚名

高155.3、寬93.4厘米。

絹本，設色。

現藏四川博物院。

龍王拜觀音圖

明

佚名

高164、寬101厘米。

絹本，設色。

現藏南京博物院。

羅漢圖

明

佚名

高120、寬63厘米。

絹本，設色。

現藏山西博物院。

天神圖

明

佚名

高117、寬61.5厘米。

絹本，設色。

現藏山西博物院。

時輪曼荼羅

明

佚名

高96、寬83厘米。

布畫。

現藏西藏自治區拉薩市布達拉宮。

王　鐸（公元1592－1652年）

清代畫家。孟津（今河南孟津東）人。字覺斯、覺之，號嵩樵、仙道人等。有書名，兼畫山水、蘭竹。

山水圖（選二開）

清

王鐸

高20、寬20厘米。

灑金箋，設色。

現藏遼寧省博物館。

山水圖之一

山水圖之二

王時敏（公元1592－1680年）

清代畫家。太倉（今屬江蘇）人。字遜之，號烟客，又號西廬老人，晚號西田等。擅畫山水，取法元四家，尤精黄公望筆法。在清初畫壇頗有影響。後人把他與王鑑、王翬、王原祁合稱“四王”，加吴歷、惲壽平亦稱“清六家”。

山水圖

清

王時敏

高94.5、寬51.5厘米。

紙本，水墨。

現藏上海博物館。

答菊圖

清

王時敏

高128.2、寬57.1厘米。

紙本，水墨。

現藏南京博物院。

仙山樓閣圖

清

王時敏

高133.2、寬63.6厘米。

紙本，水墨。

現藏故宫博物院。

杜甫詩意圖（選二開）

清

王時敏

高39、寬25.7厘米。

紙本，水墨或設色。共十二開。

現藏故宮博物院。

杜甫詩意圖之一

杜甫詩意圖之二

仿黃公望浮巒暖翠圖

清
王時敏
高63.5、寬29.3厘米。
絹本，設色。
現藏臺北故宮博物院。

仿黃公望山水圖

清
王時敏
高147.8、寬67.4厘米。
絹本，設色。
現藏臺北故宮博物院。

南山積翠圖

清

王時敏

高147.1、寬66.4厘米。

絹本，設色。

現藏遼寧省博物館。

普　荷（公元1593－1683年）

清代畫家。晋寧（今雲南晋寧東）人。本姓唐，名泰，字大來。明亡，出家爲僧，法名通荷，後更名普荷，號擔當。善畫山水，參合元黄公望、倪瓚兩家，筆致放縱，風格淡雅，自成面目。

高士圖

清

普荷

高106、寬59.3厘米。

紙本，水墨。

現藏雲南省博物館。

山水圖（選二開）

清

普荷

高28.3、寬28.6厘米。

紙本，水墨或設色。共四開。

現藏四川博物院。

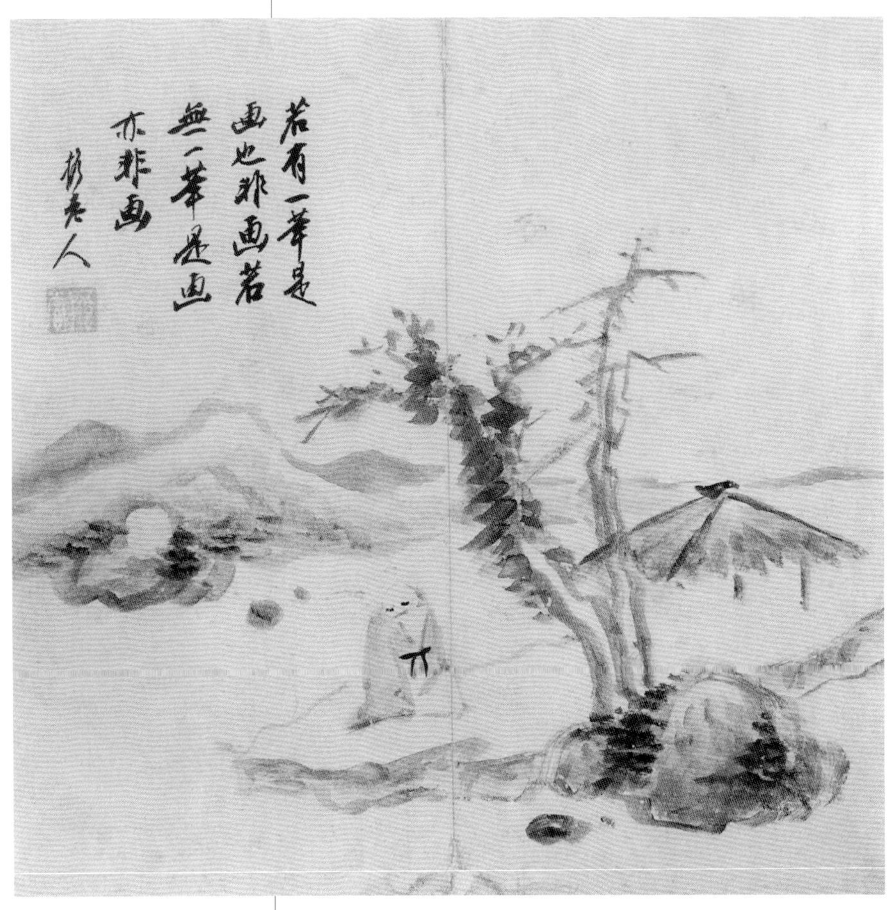

山水圖之一

山水圖之二

劉　度

清代畫家。錢塘（今浙江杭州）人。字叔憲，一作叔獻。善畫山水，多作青緑設色，亦仿張僧繇没骨山水。

山水圖（選二開）

清

劉度

高27、寬20厘米。

絹本，設色。共八開。

現藏上海博物館。

山水圖之一

山水圖之二

山水圖

清

劉度

高156.6、寬63.1厘米。

絹本，設色。

現藏臺北故宮博物院。

白雲紅樹圖

清

劉度

高159、寬93厘米。

絹本，設色。

現藏山東省博物館。

鄒之麟

清代畫家。武進（今江蘇常州）人。字臣虎，號衣白，自號逸老。明萬曆三十八年（公元1610年）進士。工書畫，山水法元代黄公望和王蒙。

山水圖

清

鄒之麟

高109、寬62厘米。

綾本，設色。

現藏天津博物館。

山水圖（左圖）

清

鄒之麟

高127.8、寬44.9厘米。

紙本，設色。

現藏上海博物館。

張　風（公元? – 1662年）

清代畫家。上元（今江蘇南京）人。字大風，號昇州道士，自號上元老人。擅山水、人物、花卉，亦工肖像。

北固烟柳圖

清

張風

高83.5、寬44.5厘米。

紙本，水墨。

現藏故宮博物院。

願從赤松子游圖

清

張風

高85、寬54厘米。

紙本，水墨。

現藏江蘇省泰州市博物館。

觀瀑圖（右圖）

清

張風

高172.6、寬61.8厘米。

紙本，水墨。

現藏上海博物館。

周復

清代畫家。仁和（今浙江杭州）人。善畫山水、人物。

深山高遠圖

清

周復

高290.4、寬100.1厘米。

絹本，水墨。

現藏南京博物館。

祁豸佳（公元1594－1683年后）

清代畫家。山陰（今浙江紹興）人。字止祥，號雪瓢。工書善畫，山水宗董源、沈周等，善仿諸家山水，間作花卉。

秋山策杖圖

清

祁豸佳

高198.1、寬74.1厘米。

紙本，水墨。

現藏上海博物館。

蕭雲從（公元1596－1673年）

清代畫家。蕪湖（今屬安徽）人。字尺木，號無悶道人、默思等，晚號鐘山老人。善畫山水，兼學衆法，晚年自成一格。

石磴攤書圖

清
蕭雲從
高132、寬66厘米。
紙本，水墨淡設色。
現藏北京榮寶齋。

百尺明霞圖

清
蕭雲從
高124.7、寬46.3厘米。
紙本，水墨。
現藏上海博物館。

山水圖（選二開）

清
蕭雲從
高27.9、寬20.9厘米。
紙本，水墨。共十開。
現藏上海博物館。

山水圖之一

山水圖之二

黄應諶（公元1597－約1676年）

清代畫家。順天（今北京）人。字敬一，號劍庵。順治時以畫供奉内廷。山水人物俱精，長于界畫。

陋室銘圖

清

黄應諶

高243.3、寬158厘米。

絹本，設色。

現藏臺北故宫博物院。

王　鑑（公元1598－1677年）

清代畫家。太倉（今屬江蘇）人。字玄照，後改字元照，一字圓照，號湘碧，又號染香庵主。擅畫山水，多擬仿宋元諸家，善于青緑設色，皴染兼長。爲“清六家”之一。

仿宋元山水圖（選二開）

清

王鑑

高55.2、寬35.2厘米。

紙本，設色。共十二開。

現藏上海博物館。

仿宋元山水圖之一

仿宋元山水圖之二

青綠山水圖

清

王鑑

高23、寬198.7厘米。

紙本，設色。

現藏故宮博物院。

仿三趙山水圖（左圖）

清

王鑑

高162.7、寬51.1厘米。

絹本，設色。

現藏上海博物館。

溪山無盡圖

清

王鑑

高213.5、寬95.4厘米。

紙本，設色。

現藏上海博物館。

仿王蒙秋山圖

清

王鑑

高145.2、寬50.3厘米。

絹本，設色。

現藏臺北故宮博物院。

長松仙館圖

清

王鑑

高138.2、寬54.5厘米。

紙本，水墨。

現藏故宮博物院。

仿巨然山水圖

清

王鑑

高220.8、寬109厘米。

絹本，設色。

現藏故宮博物院。

仿李成溪山雪霽圖

清
王鑑
高93.6、寬50.7厘米。
絹本，水墨。
現藏故宮博物院。

程正揆（公元1604－1676年）

清代畫家。孝感（今屬湖北）人，後寓江寧（今江蘇南京）。字端伯，號鞠陵，晚號青谿道人。崇禎四年（公元1631年）進士，入清官工部侍郎。工書，善畫山水。多用禿筆，設色濃重。

山水圖

清
程正揆
高104.8、寬40.6厘米。
紙本，水墨。
現藏故宮博物院。

江山卧游圖

清

程正揆

高26、寬305厘米。

紙本，設色。

現藏故宫博物院。

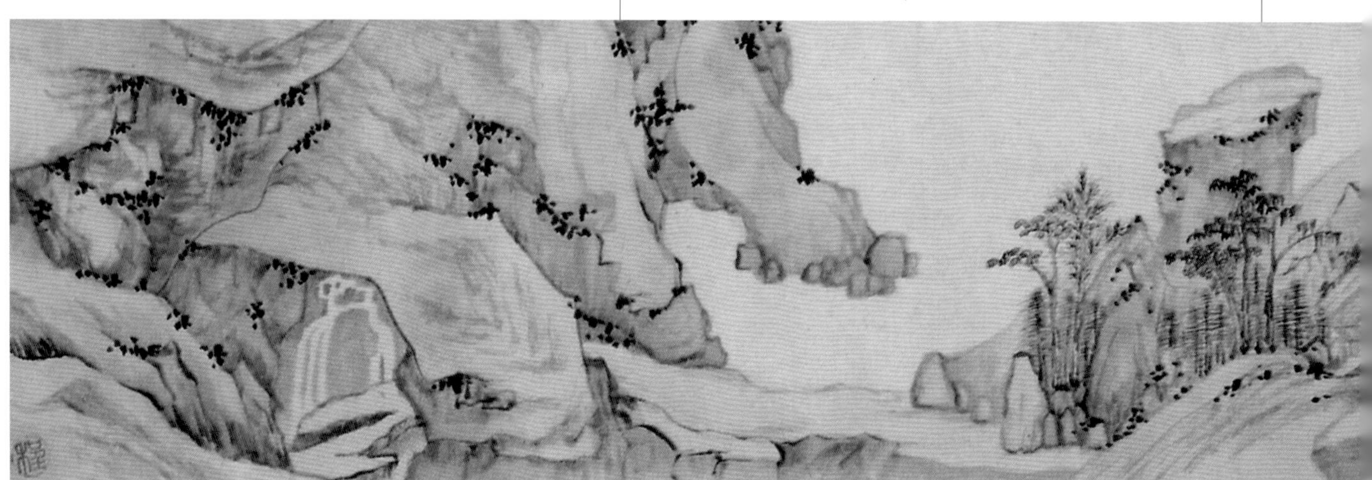

江山卧遊圖
壬辰六月畫
青溪道人
其三十五

山水圖（選二開）

清

程正揆

高22.7、寬44.3厘米。

紙本，設色。

現藏上海博物館。

山水圖之一

山水圖之二

謝　彬（公元1604－1681年）

清代畫家。上虞（今浙江上虞南）人，寓居錢塘（今浙江杭州）。字文侯。工于寫生，尤精肖像。

漁家圖

清

謝彬

高168.1、寬73厘米。

紙本，設色。

現藏上海博物館。

程　邃（約公元1605－1691年）

清代畫家。歙縣（今屬安徽）人，長居揚州（今屬江蘇）。字穆倩、朽民，號垢區、青溪、垢道人等，自稱江東布衣。精篆刻，時稱絶技。善畫山水，喜用枯筆作畫。

群峰圖

清

程邃

高87.8、寬47.1厘米。

紙本，水墨。

現藏上海博物館。

山水圖（選二開）

清

程邃

高35.7、寬57.7厘米。

紙本，水墨。共八開。

現藏安徽省歙縣博物館。

山水圖之一

山水圖之二

傅　山（公元1605－1690，一作1607－1684年）

清代畫家。陽曲（治今山西太原）人。初名鼎臣，字真山，號青主、青竹、石道人等。書法諸體皆精，亦善繪畫，精山水、竹石。

丘壑磊砢圖

清

傅山

高21.5、寬21.6厘米。

絹本，設色。

現藏天津博物館。

天泉舞柏圖

清

傅山

高119、寬59厘米。

紙本，水墨。

現藏山西省太原市博物館。

靈芝蘭石圖

清

傅山

高166、寬47.5厘米。

綾本，水墨。

現藏江蘇省南京市博物館。

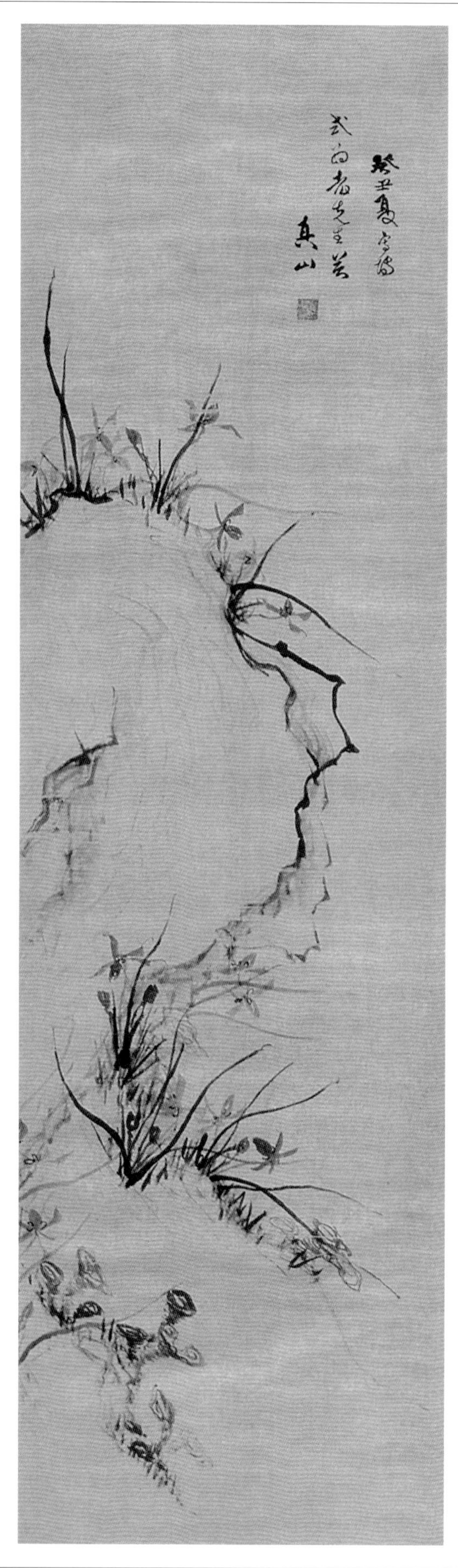

張　穆（公元1607－1683年）

清代畫家。東莞（今屬廣東）人。字穆之，號鐵橋。善畫馬，亦工山水、蘭竹。

奚官放馬圖

清
張穆
高110.5、寬57.8厘米。
絹本，設色。
現藏故宮博物院。

藍　孟

清代畫家。錢塘（今浙江杭州）人。字次公、亦輿，又字鷺。爲邑庠生。藍瑛之子。能習家法，善畫山水，能摹仿宋、元諸家畫法。

梅花書屋圖

清
藍孟
高181、寬47.1厘米。
絹本，設色。
現藏浙江省博物館。

仿古山水圖（選二開）

清

藍孟

高20.9、寬27.3厘米。

絹本，設色。共十二開。

現藏上海博物館。

仿古山水圖之一

仿古山水圖之二

秋林逸居圖（左圖）

清

藍孟

高217.3、寬68.3厘米。

絹本，設色。

現藏遼寧省旅順博物館。

張學曾

清代畫家。山陰（今浙江紹興）人。字爾唯，號約庵。工書善畫，尤擅山水。爲“畫中九友”之一。

仿巨然山水圖

清

張學曾

高63.3、寬37.9厘米。

紙本，設色。

現藏上海博物館。

崇阿茂樹圖

清
張學曾
高222.2、寬52厘米。
綾本，水墨。
現藏故宫博物院。

戴明説

清代畫家。滄州（今屬河北）人。字道默，號巖犖，晚號定圃。明崇禎七年（公元1634年）進士，清順治十三年（公元1656年）擢户部尚書。工書畫，善畫墨竹。

仿米山水圖

清
戴明説
高108.5、寬48.6厘米。
綾本，設色。
現藏安徽省博物館。

墨竹圖

清
戴明說
高189、寬54.8厘米。
綾本，水墨。
現藏故宮博物院。

吴偉業（公元1609－1671年）

清代畫家。太倉（今屬江蘇）人。字駿公，號梅村、大雲居士。工詩善畫，畫山水得元人法。

山水圖

清
吴偉業
高113.3、寬47.8厘米。
紙本，水墨。
現藏故宮博物院。

南湖春雨圖

清

吴偉業

高113.3、寬42.4厘米。

紙本，水墨。

現藏上海博物館。

黄向堅（公元1609－1673年）

清代畫家。蘇州（今屬江蘇）人。字端木。善畫山水，師法王蒙。

劍門圖

清

黄向堅

高139、寬53.6厘米。

紙本，水墨。

現藏吉林省博物院。

尋親圖

清

黄向堅

高63.7、寬30.8厘米。

紙本，設色。

現藏故宫博物院。

弘　仁（公元1610－1664年）

清代畫家。歙縣（今屬安徽）人。俗姓江，名韜，字六奇，一作名舫，字鷗盟。順治四年（公元1647年）出家爲僧，法名弘仁，自號漸江學人，死後人稱“梅花古衲”。工詩善畫，尤擅山水，初學宋人，後宗倪瓚。風格冷峭，筆墨瘦勁簡潔。與汪之瑞、孫逸、查士標爲“新安派”四大家。

竹石風泉圖

清

弘仁

高58、寬33.6厘米。

紙本，水墨。

現藏天津博物館。

古槎短荻圖

清

弘仁

高61.9、寬35.3厘米。

紙本，水墨。

現藏故宮博物院。

黄山圖

清

弘仁

高145、寬47.6厘米。

紙本，設色。

現藏江西省婺源縣博物館。

松壑清泉圖

清

弘仁

高134、寬59.5厘米。

紙本，水墨。

現藏廣東省博物館。

黄海松石圖

清

弘仁

高198.7、寬81厘米。

紙本，水墨淡設色。

現藏上海博物館。

汪之瑞

清代畫家。休寧（今屬安徽）人。字無瑞。工書善畫，長于寫意，尤精山水。

九溪峰壑圖

清
弘仁
高110.6、寬58.9厘米。
紙本，水墨。
現藏上海博物館。

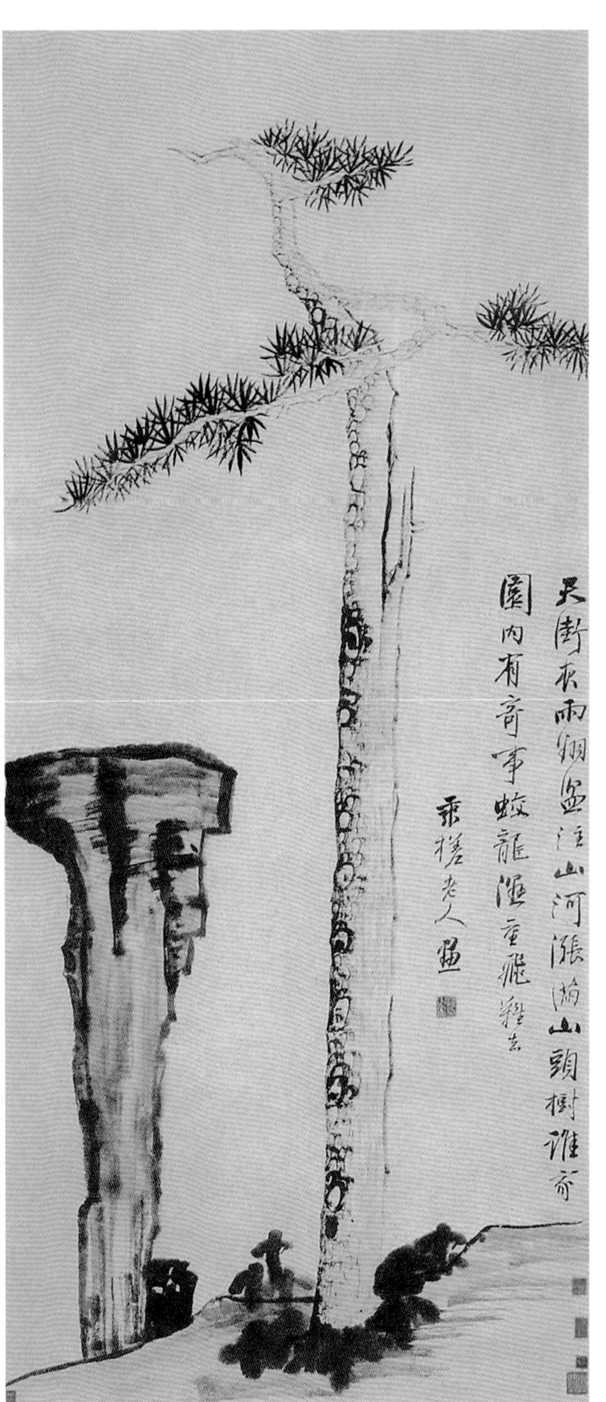

松石圖

清
汪之瑞
高179.5、寬78.2厘米。
紙本，水墨。
現藏上海博物館。

山水圖

清

汪之瑞

高79、寬52厘米。

紙本，水墨。

現藏故宫博物院。

方以智（公元1611－1671年）

清代畫家。桐城（今屬安徽）人。字密之，號曼公，又號鹿起。明亡爲僧，法名大智，字無可，號墨歷、弘智，别號藥地和尚。工詩善畫，山水得元人法。

疏樹古亭圖

清

方以智

高52.4、寬30.3厘米。

紙本，水墨。

現藏安徽省博物館。

樹下騎驢圖

清

方以智

高127.9、寬40.5厘米。

紙本，水墨。

現藏故宫博物院。

髡　殘（公元1612－1674，一作1612－1692年後）

清代畫家。武陵（今湖南常德）人。俗姓劉，字石谿，又字介丘，號白秃、庵住道人、殘道人、石道人等。多游名山，住金陵牛首山幽棲寺。擅畫山水，長于乾筆皴擦，筆墨蒼莽，自成風格。與程青谿并稱“二谿”，與原濟（石濤）并稱“二石”，爲清初畫壇四高僧之一。

山水圖

清

髡殘

高116、寬56.5厘米。

紙本，設色。

現藏瀋陽故宫博物院。

茂林秋樹圖

清

髡殘

高21.8、寬237.1厘米。

紙本，水墨淡設色。

現藏臺北故宫博物院。

晨林秋樹圖

蒼山結茅圖

清

髡殘

高89.8、寬35厘米。

紙本，設色。

現藏上海博物館。

江上垂釣圖

清

髡殘

高103.6、寬60.3厘米。

紙本，設色。

現藏山東省烟臺市博物館。

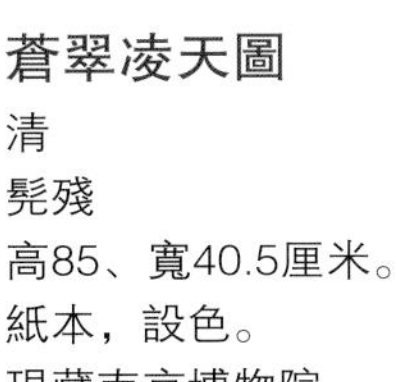

蒼翠凌天圖

清
髡殘
高85、寬40.5厘米。
紙本，設色。
現藏南京博物院。

層岩疊壑圖

清

髡殘

高169、寬41.5厘米。

紙本，設色。

現藏故宮博物院。

雲洞流泉圖

清

髡殘

高110.3、寬30.8厘米。

紙本，設色。

現藏故宮博物院。

松岩樓閣圖

清

髡殘

高41.7、寬30.4厘米。

紙本，設色。

現藏南京博物院。

歸　莊（公元1613－1673年）

清代畫家。昆山（今屬江蘇）人。字玄恭，號恒軒。入清後，更名祚明。善畫竹。

墨竹圖（右圖）

清

歸莊

高105.5、寬31.7厘米。

紙本，水墨。

現藏上海博物館。

竹石圖

清

歸莊

高110、寬76厘米。

紙本，水墨。

現藏天津博物館。

法若真（公元1613–1696年）

清代畫家。膠州（今屬山東）人。字漢儒，號黃石。順治三年（公元1646年）進士，康熙十八年（公元1679年）薦舉博學鴻詞。工書善畫。善畫山水，用筆瀟灑清逸，自成一格。

秋山亭子圖

清

法若真

高100、寬54厘米。

紙本，設色。

現藏首都博物館。

松泉山閣圖

清
法若真
高185、寬81.2厘米。
紙本，設色。
現藏遼寧省博物館。

層巒叠嶂圖

清
法若真
高306、寬130厘米。
紙本，水墨。
現藏山東省博物館。

樹梢飛泉圖

清

法若真

高135.7、寬56.8厘米。

紙本，設色。

現藏上海博物館。

方亨咸

清代畫家。桐城（今屬安徽）人。字吉偶，號邵村。與方以智同族。順治四年（公元1647年）進士，官御史。能文擅書。山水得黄公望法，兼善花鳥。

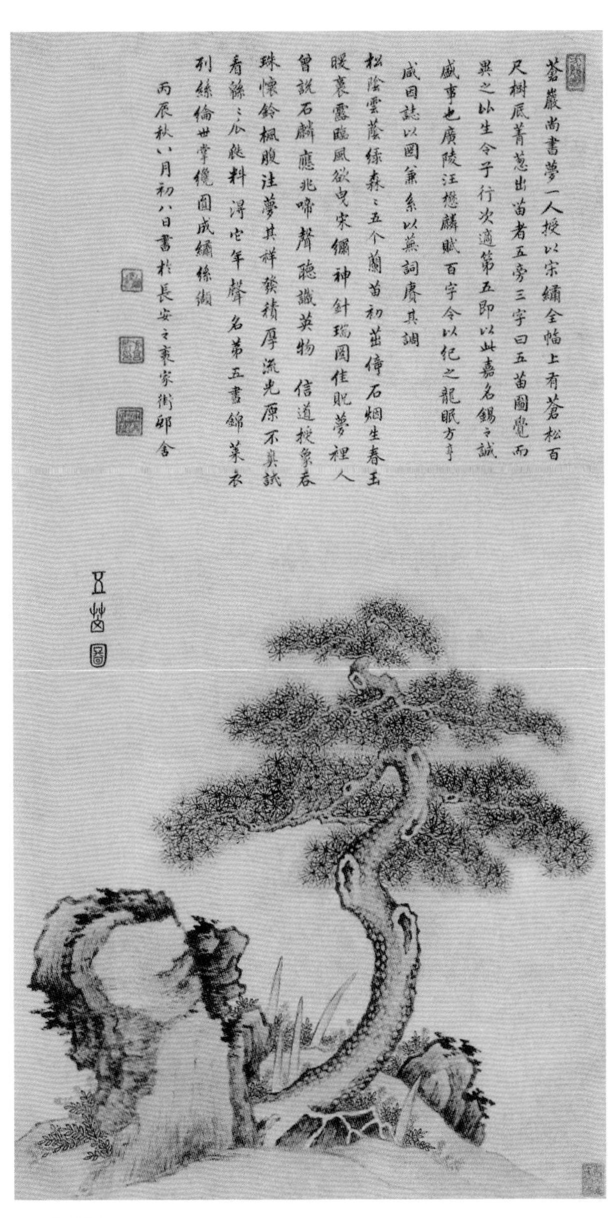

五苗圖

清

方亨咸

高82、寬43厘米。

紙本，設色。

現藏上海博物館。

岩壑幽栖圖

清

方亨咸

高185.5、寬74.3厘米。

紙本，水墨。

現藏故宫博物院。

章　谷

清代畫家。仁和（今浙江杭州）人。字言在，號古愚。善畫山水和肖像，尤工烘染。

八景圖（選二開）

清

章谷

均高28.5、寬22.3厘米。

絹本，設色。共八開。

現藏廣東省廣州美術館。

八景圖之一

八景圖之二

錦城春色圖

清
章谷
高265、寬128.3厘米。
絹本，設色。
現藏首都博物館。

查士標（公元1615－1698年）

清代畫家。休寧（今屬安徽）人，寓居揚州（今屬江蘇）。字二瞻，號梅壑。擅畫山水，初學倪瓚，後參用吴鎮、董其昌法。作畫筆墨疏簡，天真幽淡。

雲容水影圖

清
查士標
高143.6、寬72厘米。
紙本，水墨淡設色。
現藏天津博物館。

林亭春曉圖

清

查士標

高125、寬47厘米。

綾本，水墨。

現藏山西博物院。

山水圖

清

查士標

高90.1、寬36.7厘米。

紙本，設色。

現藏遼寧省博物館。

空山結屋圖

清
查士標
高98.7、寬53.3厘米。
紙本，設色。
現藏故宮博物院。

樊　圻（公元1616－約1694年）

清代畫家。金陵（今江蘇南京）人。字會公，更字洽公。工書善畫，山水、花卉、人物無不精妙。與龔賢、高岑、吴宏、葉欣、胡慥、謝蓀、鄒喆合稱爲“金陵八家”。

秋山聽瀑圖（右圖）

清
樊圻
高183.6、寬57.6厘米。
絹本，設色。
現藏遼寧省旅順博物館。

柳溪漁樂圖

清

樊圻

高28.6、寬167.8厘米。

絹本，設色。

現藏故宮博物院。

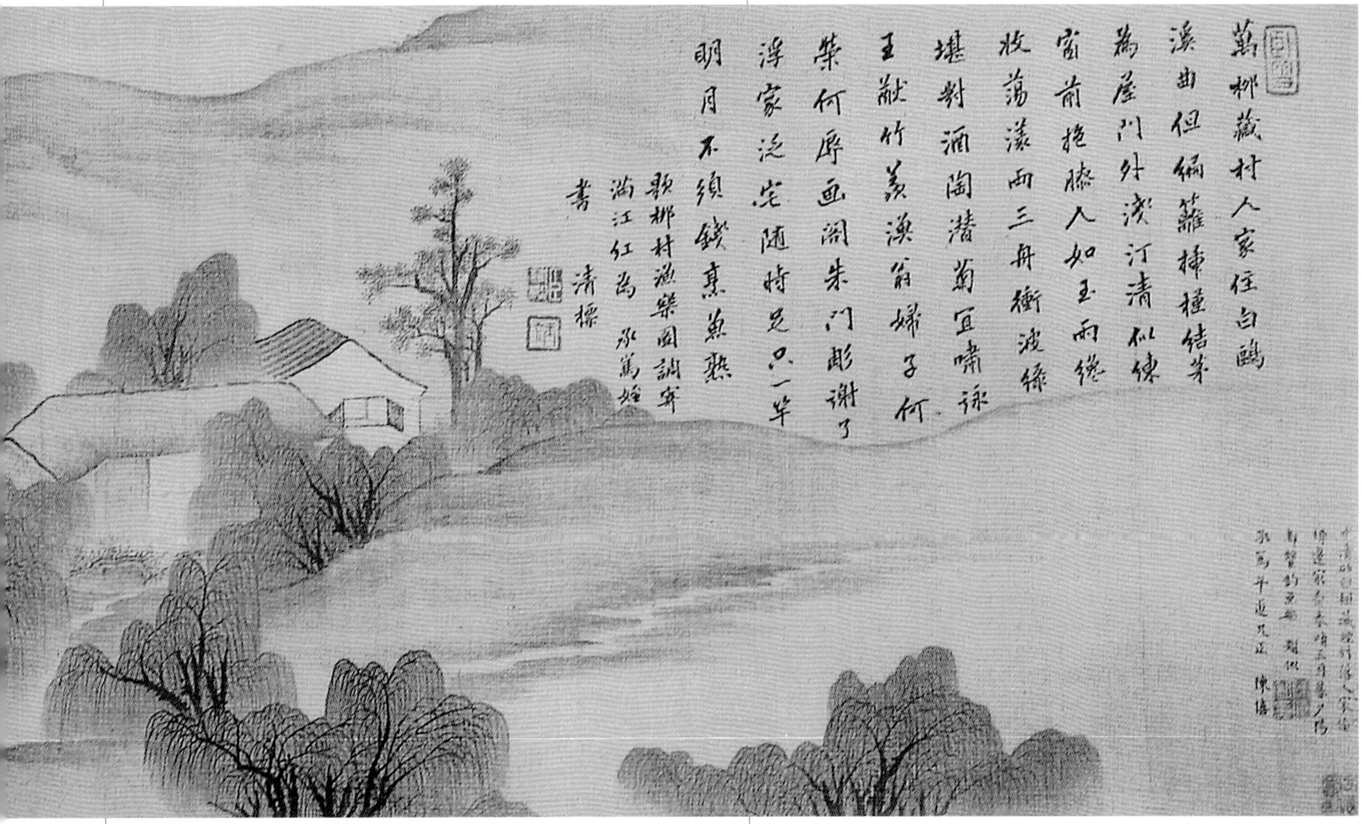
萬柳藏村人家住白鷗
溪曲但編籬種植結茅
為屋門外淺汀清似練
窗前抱膝人如玉雨後
妝蕩漾兩三舟衝波綠
堪對酒陶潛菊宜嘯詠
王猷竹羨漁翁婦子何
榮何辱画阁朱门彫谢了
浮家泛宅随時足只一竿
明月不須錢烹魚熟
歌柳村漁樂圖調寄
滿江紅為 承萬姪
書 清標

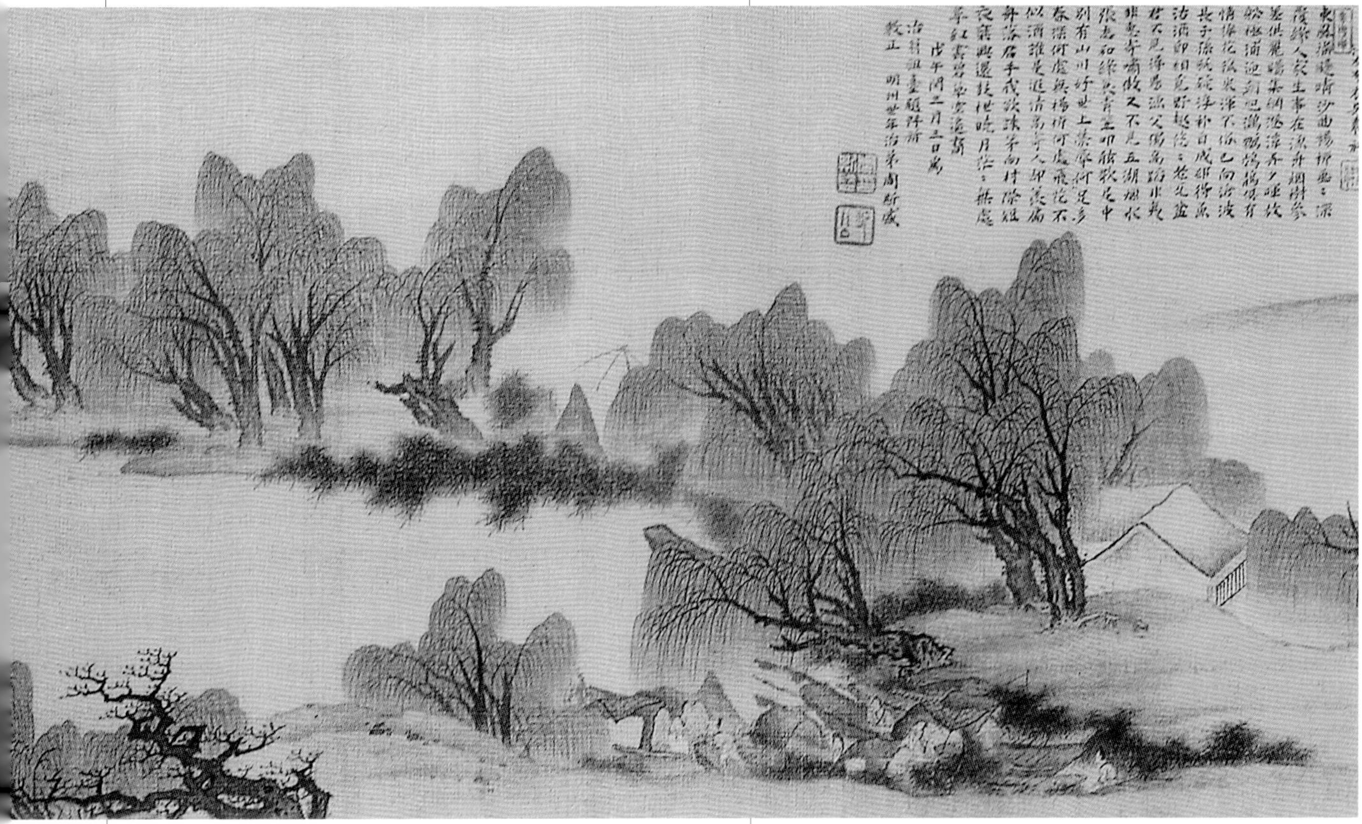

山水圖（選二開）

清

樊圻

高13.1、寬22.1厘米。

絹本，設色。共十開。

現藏上海博物館。

山水圖之一

山水圖之二

桃源圖

清
樊圻
高94.4、寬47.4厘米。
綾本，設色。
現藏遼寧省博物館。

堂上祝壽圖（右圖）

清
樊圻
高248、寬56厘米。
金箋，設色。
現藏山東省青島市博物館。

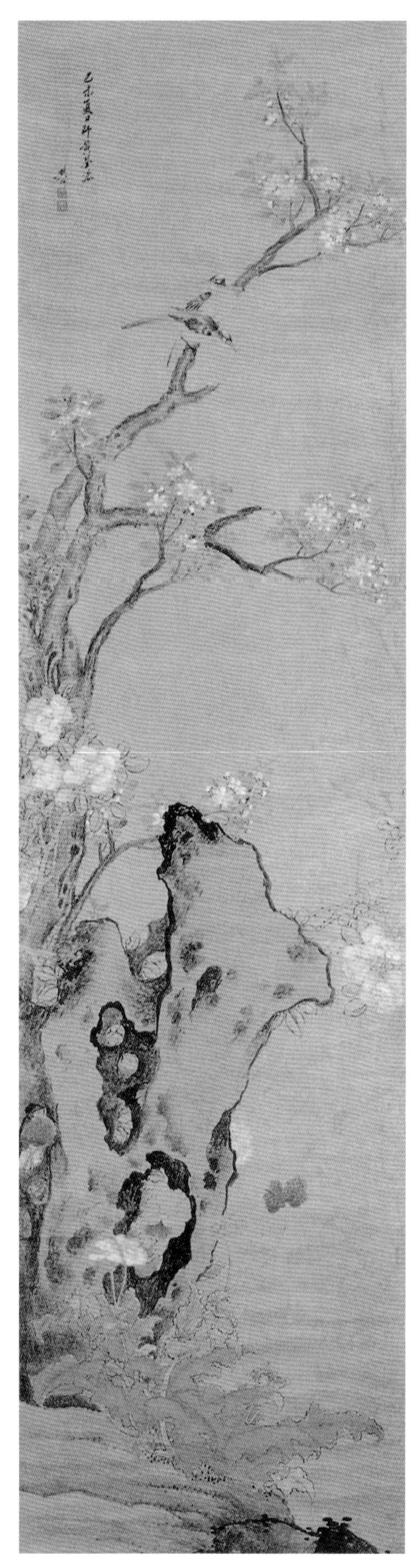

諸　昇（公元1618－?年）

清代畫家。仁和（今浙江杭州）人。字日如，號曦庵。擅長蘭花竹石，亦能山水。

墨竹圖

清

諸昇

高179.5、寬79.8厘米。

絹本，水墨。

現藏故宮博物院。

墨竹圖

清

諸昇

高195、寬69.7厘米。

絹本，水墨。

現藏江蘇省泰州市博物館。

龔　賢（公元1618－1689年）

清代畫家。昆山（今屬江蘇）人，寓金陵（今江蘇南京）清凉山。一名豈賢，字半千，號野遺、柴丈人。工詩文、書法，擅畫山水，法董源、巨然筆意，自成一格。爲“金陵八家”之一。

松林書屋圖

清
龔賢
高274.5、寬128.5厘米。
紙本，水墨。
現藏遼寧省旅順博物館。

溪山無盡圖

清

龔賢

高27.7、寬726.7厘米。

紙本，水墨。

現藏故宮博物院。

溪山無盡圖之一

溪山無盡圖之二

溪山無盡圖之三

溪山無盡圖之四

溪山無盡圖之五

攝山栖霞圖

清

龔賢

高30.4、寬151.7厘米。

紙本，設色。

現藏故宮博物院。

山水圖（選二開）

清

龔賢

高18-26、寬22.5-27厘米。

紙本，水墨或設色。共八開。

現藏故宮博物院。

山水圖之一

山水圖
之二

山家黄葉圖

清

龔賢

高227.4、寬82.2厘米。

紙本，水墨。

現藏遼寧省旅順博物館。

湖濱草閣圖

清

龔賢

高218、寬82.8厘米。

紙本，水墨。

現藏吉林省博物院。

木葉丹黃圖

清
龔賢
高99.5、寬64.8厘米。
紙本，水墨。
現藏上海博物館。

鄒 喆

清代畫家。吳縣（今江蘇蘇州）人，長居金陵（今江蘇南京）。字方魯。工書善畫，畫承家傳，長于山水、花卉。爲“金陵八家”之一。

山村秋色圖（右圖）

清
鄒喆
高159、寬51.5厘米。
絹本，設色。
現藏首都博物館。

山閣談詩圖

清

鄒喆

高252.6、寬104.4厘米。

紙本，設色。

現藏故宮博物院。

江南山水圖（選二開）

清

鄒喆

高26、寬26厘米。

絹本，設色。

現藏南京博物院。

江南山水圖之一

江南山水圖之二

吴宏

清代畫家。金溪（今屬江西）人，寓居金陵（今江蘇南京）。宏，一作弘，字遠度，號竹史。自幼習畫，擅長山水、竹石，爲“金陵八家”之一。

燕子磯莫愁湖兩景圖

清

吴宏

前段高30.9、寬150厘米。

後段高30.9、寬150.5厘米。

紙本，設色。

現藏故宮博物院。

燕子磯圖

莫愁湖圖

山水圖
（選二開）

清
吴宏
高17.5、寬20.3厘米。
絹本，設色。共十開，現存八開。
現藏上海博物館。

山水圖之一

山水圖之二

江城秋訪圖

清

吴宏

高160.9、寬78.2厘米。

絹本，設色。

現藏遼寧省旅順博物館。

柘溪草堂圖

清

吴宏

高160.5、寬79.9厘米。

絹本，設色。

現藏南京博物院。

葉欣

清代畫家。雲間（今上海松江）人，流寓金陵（今江蘇南京）。字榮木。工書善畫，長于山水，師宗趙令穰，亦曾師姚允在。爲“金陵八家”之一。

山水圖（選二開）

清
葉欣
高20、寬27.5厘米。
紙本，設色。共八開。
現藏廣東省廣州美術館。

山水圖之一

山水圖之二

山水圖（選二開）

清
葉欣
高14.1、寬17.4厘米。
紙本，水墨淡設色。
現藏遼寧省旅順博物館。

山水圖之一

山水圖之二

鐘山圖

清

葉欣

高26.5、寬416.7厘米。

絹本，設色。

現藏故宫博物院。

胡慥

清代畫家。金陵（今江蘇南京）人。一名造，字石公。善畫山水、人物，尤工寫菊。爲“金陵八家”之一。

山水圖

清

胡慥

高16、寬58.9厘米。

金箋，設色。

現藏南京博物院。

謝蓀

清代畫家。溧水（今屬江蘇）人，居金陵（今江蘇南京）。字緗西，又字天令。擅畫山水，亦工花卉。爲“金陵八家”之一。

山水圖

清

謝蓀

高16、寬58.9厘米。

金箋，設色。

現藏南京博物院。

荷花圖

清

謝蓀

高25.4、寬31.4厘米。

紙本，設色。

現藏故宮博物院。

青緑山水圖

清

謝蓀

高157.2、寬52.6厘米。

絹本，設色。

現藏故宫博物院。

高岑

清代畫家。杭州（今屬浙江）人，寓居金陵（今江蘇南京）。字善長，又字蔚生。工畫山水及水墨花卉。爲“金陵八家”之一。

萬山蒼翠圖

清

高岑

高185、寬78.5厘米。

絹本，設色。

現藏故宫博物院。

秋山萬木圖

清

高岑

高148.2、寬57.7厘米。

絹本，設色。

現藏南京博物院。

山居圖

清

高岑

高150、寬42厘米。

紙本，水墨淡設色。

現藏私人處。

春景山水圖（六屏）

清

高岑

每屏高214、寬55厘米。

絹本，水墨淡設色。

現藏山東省烟臺市博物館。

唐苂（公元1620－1690年）

清代畫家。常州（今屬江蘇）人。又名于光，字子晋，號匹士。擅繪荷花，與惲壽平爲忘年交，當時有“唐荷花，惲牡丹”之譽。

荷花圖

清

唐苂

高148.4、寬81.6厘米。

紙本，設色。

現藏上海博物館。

吕潛（公元1621－1706年）

清初畫家。遂寧（今屬四川）人，居泰州（今屬江蘇）。字孔昭，號半隱、石山農。崇禎十六年（公元1643年）進士，官行人。明亡後不仕，以詩畫自遣。善畫花卉。

層巒叢林圖

清

吕潛

高95.6、寬37.6厘米。

紙本，水墨。

現藏四川博物院。

山水圖

清
吕潜
高117.3、寬41.7厘米。
絹本，水墨淡設色。
現藏上海博物館。

戴本孝（公元1621－1691年）

清代畫家。休寧（今屬安徽）人。字務旃，號鷹阿山樵，又號前休子。工書善畫。長于山水，多作黄山風景。後人稱他與梅清、梅庚、石濤等爲“黄山畫派”。

華山毛女洞圖

清
戴本孝
高137.5、寬63.1厘米。
紙本，設色。
現藏浙江省博物館。

黄山圖（選二開）

清

戴本孝

高21.6、寬17厘米。

紙本，水墨。共十二開。

現藏廣東省博物館。

黄山圖之一

黄山圖之二

山谷迴廊圖（左圖）

清
戴本孝
高165、寬51.5厘米。
綾本，水墨。
現藏安徽省博物館。

烟波杳靄圖

清
戴本孝
高150.7、寬73.2厘米。
紙本，設色。
現藏江蘇省蘇州博物館。

華岳十二景圖（選四開）

清

戴本孝

均高21.3、寬16.7厘米。

紙本，設色。共十二開。

現藏上海博物館。

華岳十二景圖之一

華岳十二景圖之二

華岳十二景圖之三

華岳十二景圖之四

徐 枋（公元1622－1694年）

清代畫家。吴縣（今江蘇蘇州）人。字昭法，號俟齋，自號秦餘山人。善畫山水，有荆浩、關仝筆法，亦善畫芝蘭。時與沈壽民、巢鳴聖三人并稱“海内三遺民”。

仿宋元山水圖（選二開）

清

徐枋

高26.5、寬21.6厘米。

絹本，水墨。共十二開。

現藏上海博物館。

仿宋元山水圖之一

仿宋元山水圖之二

仿北苑山水圖

清

徐枋

高141、寬47.9厘米。

紙本，水墨。

現藏江蘇省蘇州博物館。

山水圖

清

徐枋

高98.5、寬41.7厘米。

紙本，水墨。

現藏天津博物館。

羅 牧（公元1622－1704年）

清代畫家。寧都（今屬江西）人，僑居南昌（今屬江西）。字飯牛，號牧行者。工詩，善書畫，山水自成一家。爲"江西派"開派人物。

山水圖

清

羅牧

高212、寬113厘米。

紙本，水墨。

現藏瀋陽故宮博物院。

林壑蕭疏圖

清

羅牧

高195.1、寬75.4厘米。

紙本，水墨。

現藏臺北故宮博物院。

枯木竹石圖

清

羅牧

高130.6、寬33.6厘米。

紙本，水墨。

現藏江蘇省蘇州博物館。

山居秋色圖

清

羅牧

高279.5、寬117.5厘米。

紙本，水墨。

現藏江蘇省泰州市博物館。

梅 清（公元1623－1697年）

清代畫家。宣城（今屬安徽）人。原名士羲，字淵公，一字遠公，號瞿山、敬亭山農。擅畫山水，多作黄山風景，亦善畫松。爲“黄山派”主要畫家之一。

峭壁勁松圖
清
梅清
高110、寬46厘米。
紙本，水墨。
現藏首都博物館。

高山流水圖
清
梅清
高249.5、寬121厘米。
紙本，水墨。
現藏故宫博物院。

黃山圖

清

梅清

高183.1、寬48.9厘米。

紙本，設色。

現藏故宮博物院。

白龍潭觀瀑圖

清

梅清

高137.8、寬71.8厘米。

紙本，水墨。

現藏遼寧省旅順博物館。

黃山風景圖（選二開）

清

梅清

高43.5、寬32厘米。

紙本，設色。共十二開。

現藏安徽省博物館。

黃山風景圖之一

黃山風景圖之二

西海千峰圖

清

梅清

高73.6、寬49厘米。

紙本，水墨。

現藏天津博物館。

天都峰圖（右圖）

清

梅清

高187、寬56.7厘米。

綾本，設色。

現藏遼寧省博物館。

牛石慧（公元1625－1672年）

清代畫家。南昌（今屬江西）人。本名朱道明，字秋月。與朱耷爲堂兄弟。康熙二年（公元1663年）出家爲道士，道號望雲子。善墨筆寫意，風格類八大山人。

冬瓜芋頭圖

清

牛石慧

高142.5、寬70厘米。

紙本，水墨。

現藏首都博物館。

富貴烟霞圖

清

牛石慧

高121.6、寬33厘米。

紙本，水墨。

現藏天津博物館。

朱　耷（公元1626－1705年）

清代畫家。南昌（今屬江西）人。原名統𨨗，字雪个，又字傳綮、个山、人屋、驢屋和因是僧、八大山人等。明宗室。清順治五年（公元1648年）削髮爲僧。工詩文、書法，擅畫山水、禽魚、花鳥，作品形象誇張，個性強烈。與原濟（石濤）、弘仁、髡殘合稱"清初四僧"，對後來寫意畫派影響極大。

松石牡丹圖

清

朱耷

高180.3、寬95.5厘米。

紙本，水墨淡設色。

現藏遼寧省旅順博物館。

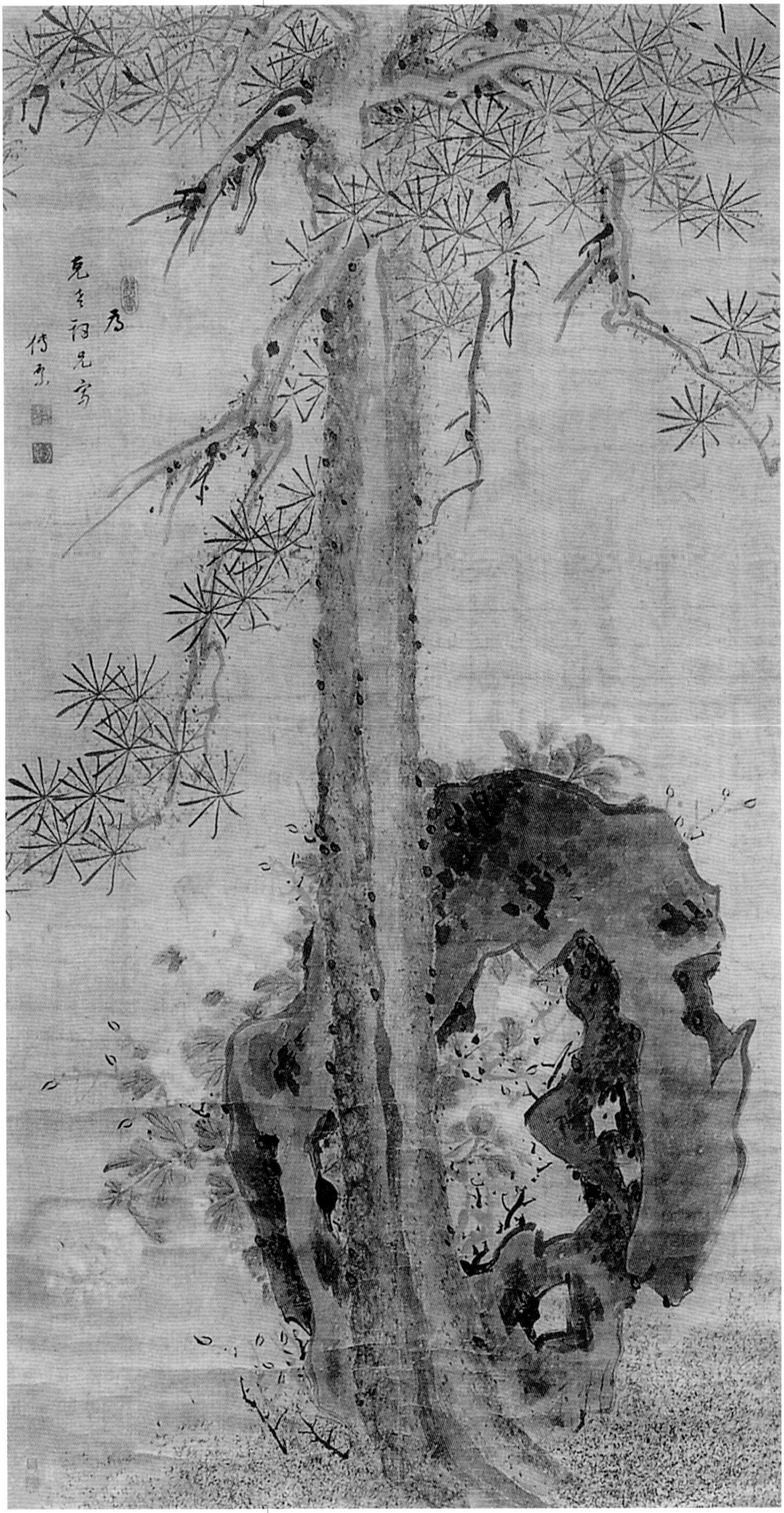

松崗亭子圖

清

朱耷

高187.8、寬91.5厘米。

紙本，水墨。

現藏首都博物館。

枯木寒鴉圖

清

朱耷

高178、寬91.5厘米。

紙本，水墨。

現藏故宮博物院。

山水圖

清
朱耷
高139.3、寬73.2厘米。
紙本，水墨淡設色。
現藏四川博物院。

秋山圖（右圖）

清
朱耷
高182.8、寬49.3厘米。
紙本，水墨。
現藏上海博物館。

河上花圖

清

朱耷

高47、寬1292.5厘米。

紙本，水墨。

現藏天津博物館。

荷花水鳥圖

清
朱耷
高114.4、寬38.5厘米。
紙本，水墨。
現藏遼寧省旅順博物館。

荷花翠鳥圖

清
朱耷
高182、寬98厘米。
紙本，水墨。
現藏上海博物館。

安晚帖（選二開）

清

朱耷

高31.7、寬27.5厘米。

紙本，水墨或水墨淡設色。

共二十開。

現藏日本京都泉屋博古館。

安晚帖之一

安晚帖之二

章聲

清代畫家。仁和（今浙江杭州）人。字子鶴。章谷之子。畫承家學，善畫山水。

青綠山水圖

清

章聲

高181.3、寬92.7厘米。

絹本，設色。

現藏首都博物館。

行旅踏雪圖

清

章聲

高252.9、寬98.9厘米。

絹本，設色。

現藏浙江省博物館。

秋山行旅圖

清

章聲

高203、寬96厘米。

紙本，設色。

現藏首都博物館。

傅眉

清代畫家。陽曲（治今山西太原）人。字壽毛，一字竹嶺。傅山之子。工詩畫，能篆刻。山水有其父之風。

綠樹蒼山圖

清

傅眉

高178、寬47.5厘米。

紙本，水墨。

現藏山西博物院。

山水圖（選二開）

清

傅眉

分別高22.2、22厘米，寬24.5、21.7厘米。

絹本，設色。共十六開。

現藏天津博物館。

山水圖之一

山水圖之二

吕焕成（公元1630－1705年后）

清代畫家。餘姚（今屬浙江）人。字吉文。善長人物、花卉，兼畫山水，用筆設色絢麗。

摹趙伯駒山水圖

清

吕焕成

高210、寬98.5厘米。

絹本，設色。

現藏山西博物院。

五岳萬仙圖

清

吕焕成

高260、寬98厘米。

絹本，設色。

現藏河北省博物館。

山水圖（選二圖）

清

吕焕成

高33.1、寬26.2厘米。

絹本，設色。共八開。

現藏浙江省博物館。

山水圖之一

山水圖之二